Contemporary Quebec

An Analytical Bibliography

Contemporary Quebec

An Analytical Bibliography

Jacques Cotnam

McClelland and Stewart Limited

0-7710-2249-2

The Canadian Publishers
McClelland and Stewart Limited
25 Hollinger Road, Toronto 374

PRINTED AND BOUND IN CANADA

To Lester J. Pronger
for his support and encouragement

Contents

Foreword

One of the immediate consequences of the "Révolution tranquille," which for the past ten years has so radically transformed life in Quebec, is that it has focused an unprecedented amount of attention on this province "pas comme les autres." The past decade has seen the publication of a considerable number of works – of varying merit – motivated by curiosity perhaps, but also by a sincere desire to know, to understand, and to explain what is currently happening in Quebec. And research continues to grow in volume, to become more specialized. Quebec has become course material, and many are the high schools and colleges, in Quebec as well as in the rest of Canada, which offer courses in "French-Canadian Civilisation" in all its most diverse manifestations.

This present bibliography has been conceived with the express purpose of facilitating such studies. While there already exist several very good bibliographies – to which we refer in Part I – we think it not untimely to add to their number one written particularly for English-speaking high-school and college students. By writing bibliographical references according to the subjects arising most frequently, and by citing works written either in English or French – giving, when they occur, titles of translations – we hope to put at the student's disposal a reference work relatively complete and yet indicating material that is easily accessible.

Our first intention was to compile a critical bibliography. However, given the timely interest of the subjects involved, it would have been extremely difficult to remain objective. For this reason, we would prefer that each teacher recommend to his students the books most important and relevant for any given course.

On the whole, we have limited ourselves to books published during the last twenty years, paying particular attention to those published during the sixties. We do, however, include older publications, particularly those which are still extremely useful, as for example André Siegfried's *The Race Question in Canada*, or the writings of Canon Lionel Groulx.

To include articles would have resulted in a bibliography three times the size of the present one. This was clearly not feasible. Consequently we have referred only to those special issues devoted to a particular topic, and to articles containing important bibliographical information. It should be noted, however, that we have suggested, for each of the subjects listed, those journals which, in our experience, are most likely to be of use to the researcher. May he read them with profit.

As for the plan we have adopted, it is relatively simple. Each chapter usually has the following sections: Bibliographies; Studies; Periodicals. A final section refers to other chapters likely to offer supplementary information on the topic.

In conclusion, we wish to thank Miss Mary Warkentin of the Scott Library, York University, for her help and wise counsel.

JACQUES COTNAM

PART ONE

Bibliography of General Bibliographies, Dictionaries, and Encyclopedia

1. Bibliographies

Bibliographie du Québec, Quebec City, Ministère des affaires culturelles. [Published four times a year, since 1968.]

Canadiana, Ottawa, Queen's Printer. [Published since 1951.]

Canadian Periodical Index; An Author and Subject Index, Ottawa, Canadian Library Association and National Library of Canada, 1966, VIII-470p. [Annual.]

Catalogue de l'édition au Canada français, Quebec City, Ministère des affaires culturelles. [Several revised and up-dated editions since 1965.]

Livres et auteurs canadiens, Montreal, Éd. Jumonville. [annual publication since 1962. In 1970, it became: *Livres et auteurs québécois*.]

BEAULIEU, A., HAMELIN, J., & BERNIER, B., *Guide d'histoire du Canada*, Quebec City, Les Presses de l'Université Laval, 1969, XVI-540p.

BEAULIEU, A., BONENFANT, J.-C., & HAMELIN, J., *Répertoire des publications gouvernementales du Québec de 1867 à 1964*, Quebec City, Imprimeur de la Reine, 1968, 554p.

BERGERON, G., *Problèmes politiques du Québec: répertoire bibliographique des commissions royales d'enquête présentant un intérêt spécial pour la politique de la province de Québec, 1940-1957*, Montreal, 1957, XIII-218p.

BOILY, R., *Québec 1940-1969: le système politique et son environnement*, Montreal, Les Presses de l'Université de Montréal, 1971, XVIII-208p.

BOSA, R. (ed.), *Les Ouvrages de référence du Québec*, Quebec City, Ministère des affaires culturelles du Québec, 1969, X-189p.

DUROCHER, R. & LINTEAU, P.-A., *Histoire du Québec: Bibliographie sélective, 1867-1970*, Trois-Rivières, Éd. Le Boréal Express, 1970, 189p.

GARIGUE, Ph., *A Bibliographical Introduction to the Study of French Canada*, Montreal, McGill University, 1956, 133p.

GARIGUE, Ph., *Bibliographie du Québec (1955-1965)*, Montreal, Les Presses de l'Université de Montréal, 1967, 217p.

HENDERSON, G. F., *Federal Royal Commissions in Canada, 1867-1966: A Checklist*, Toronto, University of Toronto Press, 1967, XVI-212p.

JARVI, E. T. (ed.), *Guide to Basic Reference Books for Canadian Libraries*, Toronto, University of Toronto, School of Library Science, 1970, IX-184p.

LOCHKEAD, D., *Bibliography of Canadian Bibliographies*, Toronto, University of Toronto Press, 1972, XIV-312p.

MARTIN, G., *Bibliographie sommaire du Canada français (1854-1954)*, Quebec City, Secrétariat de la province de Québec, 1954, 184p.

NAAMAN, A., *Guide bibliographique des thèses littéraires canadiennes de 1921 à 1969*, Montreal, Cosmos, 1970, 338p.

NISH, C. & NISH, E., *Bibliographie pour servir à l'étude de l'histoire du Canada français*, Montreal, Sir George Williams University, 1966, n.p.

STORY, N., *The Oxford Companion to Canadian History and Literature*, Toronto, Oxford University Press, 1967, XI-935p.

TANGUÉ, H., *Bibliography of Canadian Bibliographies*, Toronto, University of Toronto Press, 1960, X-206p. [Supplements have been published.]

WILLIAMS, E. W., *Resources of Canadian University Libraries for Research in the Humanities and Social Sciences*, Ottawa, National Conference of Canadian Universities and Colleges, 1962, 87p.

2. Dictionaries of Biography

WALLACE, W. S. (ed.), *The Macmillan Dictionary of Canadian Biography*, Toronto, Macmillan, 1963, 822p.

Biographies canadiennes-françaises, 22nd edition, Montreal, Éd. biographiques canadiennes-françaises, 1971, 687p.

Who's Who in Canada, Toronto, International Press, 1962, 1557p.

Who's Who in Quebec, Montreal, Quebec Press Service, 1968, 254p.

The Canadian Parliamentary Guide, Ottawa, 1968, 900p.

3. Other Reference Books

Canada Year Book, Ottawa, Queen's Printer, annual publication.

Encyclopedia Canadiana, Ottawa, Canadiana Company, 1958, 10 vol.

The Canadian Almanach and Directory, Toronto, Copp Clark, annual publication.

CAMPBELL, H. C., *How to Find Out about Canada*, Oxford and Toronto, Pergamon Press, 1967, XIV-248p.

MAY, C. R. P., *Guide de l'étudiant en études québécoises*, Birmingham, University of Birmingham, Department of French, 72p.

MORRISON, O. D., *Canada and the Provinces, for Schools and Libraries, Business and Industry*, Athens, Ohio, E. M. Morrison, 1958, 3 vol.

SAYWELL, J. (ed.), *Canadian Annual Review*, Toronto, University of Toronto Press, annual publication.

4. On the Present Situation of Research on Quebec

BAUDOUIN, L. (ed.), *La Recherche au Canada français*, Montreal, Les Presses de l'Université de Montréal, 1968, 164p.

DUMONT, F. & MARTIN, Y. (eds.), *Situation de la recherche sur le Canada français*, Quebec City, Les Presses de l'Université Laval, 1963, 296p.

SHEVENELL, R. H., *Recherches et thèses/Research and Theses*, Ottawa, Éd. de l'Université d'Ottawa, 1958, 162p.

PART TWO

Works Dealing with Various Aspects of Quebec Life

1. ARCHITECTURE

Architecture et urbanisme au Québec, Montreal, Les Presses de l'Université de Montréal, 1971, 63p.

BEAULIEU, C., *L'Architecture contemporaine au Canada français*, Quebec City, Ministère des affaires culturelles, 1969, 97p.

DEPOCAS, V., *L'Architecture moderne au Canada français*, Quebec City, Ministère des affaires culturelles, 1966, 90p.

GAUTHIER-LAROUCHE, G., *L'Évolution de la maison rurale laurentienne*, Quebec City, Les Presses de l'Université Laval, 1967, 54p.

MAYRAND, P. & BLAND, J., *Three Centuries of Architecture in Canada/Trois siècles d'architecture au Canada*, Montreal, Federal Publications Service, 1971, 123p.

TOKER, F., *The Church of Notre-Dame in Montreal: An Architectural History*, Montreal, McGill-Queen's University Press, 1970, XV-124p.

TRAQUAIR, R., *The Old Architecture of Quebec: A Study of the Buildings Erected in New France from the Earliest Explorers to the Middle of the Nineteenth Century*, Toronto, Macmillan, 1947, XIX-324p.

2. ARTS AND FOLKLORE

"Art au Québec," *Revue d'esthétique*, July-September, 1969.

Esquisses du Canada français, Montreal, Fides, 1967, 450p. [*Facets of French Canada*, Montreal, Fides, 1967, 450p.]

Les Arts au Canada, Ottawa, Imprimeur de la Reine, 1961, 120p.

Report of the Royal Commission on National Development in the Arts, Letters and Sciences, 1949-1951, Ottawa, King's Printer, 1951, XXI-517p. [*Rapport de la Commission royale d'enquête sur l'avancement des arts, lettres, sciences au Canada, 1949-1951*, Ottawa, Imprimeur du Roi, 1951, XIX-596p.]

Royal Commission Studies: A Selection of Essays Prepared for the Royal Commission on National Development in the Arts, Letters and Sciences, Ottawa, King's Printer, 1951, VII-430p.

The Arts in French Canada, Vancouver, Vancouver Art Gallery, 1959, 96p.

HUBBARD, R. H. (ed.), *An Anthology of Canadian Art*, Toronto, Oxford University Press, 1960, 187p.

LAMONTAGNE, L. (ed.), *Le Canada français d'aujourd'hui*, Quebec City, Les Presses de l'Université Laval, 1970, VIII-161p.

LAMONTAGNE, L. (ed.), *Visages de la civilisation au Canada français*, Quebec City, Les Presses de l'Université Laval, 1970, VIII-130p.

LESSARD, M. & MARQUIS, H., *Encyclopédie des antiquités du Québec: trois siècles de production artisanale*, Montreal, Éd. de l'Homme, 1971, 526p.

McINNIS, G. C., *Canadian Art*, Toronto, Macmillan, 1950, X-140p.

PALARDY, J., *Les Meubles anciens du Canada français*, Montreal, Le Cercle du Livre de France, 1971, 411p. [*The Early Furniture of French Canada*, Toronto, Macmillan, 1971, 411p.]

SIMARD J., *Répertoire*, Montreal, Cercle du Livre de France, 1961, 319p.

TOWNSEND, W. (ed.), *Canadian Art Today*, London, Studio International, 1970, 114p.

A – CINEMA

DAUDELIN, R., *Vingt ans de cinéma au Canada français*, Quebec City, Ministère des affaires culturelles, 1966, 90p.

LAMONTAGNE, L. (ed.), *Visages de la civilisation au Canada français*, Quebec City, Les Presses de l'Université Laval, 1970, VIII-130p.

LEVER, Y., *Cinéma et société québécoise*, Montreal, Éd. du Jour, 1972, 201p.

MARSOLAIS, G., *Le cinéma canadien*, Montreal, Éd. du Jour, 1968, 160p.

NOGUEZ, D., *Essais sur le cinéma québécois*, Montreal, Éd. du Jour, 1971, 221p.

B – FOLKLORE

BAILLARGEON, H., *Vive la Canadienne*, Montreal, Éd. du Jour, 1962, 157p.

BARBEAU, C. M., *Jongleur Songs of Old Quebec*, New Brunswick, N. J., Rutgers University Press, 1962, XXI-202p.

BARBEAU, M., *Folklore*, Montreal, Académie canadienne-française, 1965, 180p.

BOSWELL de Lotbinière, H., *Legends of Quebec*, Toronto, McClelland and Stewart, 1966, 120p.

D'HARCOURT, M., *Chansons folkloriques françaises du Canada*, Quebec City, Les Presses de l'Université Laval, 1956, 449p.

DUMONT, F. & MARTIN, Y. (eds.), *Situation de la recherche sur le Canada français*, Quebec City, Les Presses de l'Université Laval, 1962, 296p.

GAGNON, E., *Chansons populaires du Canada*, Montreal, Beauchemin, 1955, 250p.

LACOURCIÈRE, L. (ed.), *Archives de folklore*, Montreal, Fides, 1946-1949, 4 vol. [*Archives de folklore* is now published by Les Presses de l'Université Laval.]

LASALLE-LEDUC, A., *La vie musicale au Canada français*, Quebec City, Ministère des affaires culturelles, 1964, 99p.

ROY, C., *La littérature orale en Gaspésie*, Ottawa, Imprimeur de la Reine, 1962, 389p.

C – MUSIC

Facets of French Canada, Montreal, Fides, 1967, 450p. [*Esquisses du Canada français*, Montreal, Fides, 1967, 450p.]

BENOIT, R., *La Bolduc*, Montreal, Éd. de l'Homme, 1959, 123p.

LARSEN, C., *Chansonniers du Québec*, Montreal, Beauchemin, 1964, 118p.

LASALLE-LEDUC, A., *La vie musicale au Canada français*, Quebec City, Ministère des affaires culturelles, 1964, 99p.

MACMILLAN, Sir E. C. (ed.), *Music in Canada*, Toronto, University of Toronto Press, 1955, XII-232p.

RADIO-CANADA, *Trente-quatre biographies de compositeurs canadiens*, Montreal, Radio-Canada, 1964, 110p.

RIOUX, L., *Gilles Vigneault*, Paris, Seghers, 1969, 191p.

WALTER, A. (ed.), *Aspects of Music in Canada*, Toronto, University of Toronto Press, 1969.

See also:

Folklore

D – PAINTING

Facets of French Canada, Montreal, Fides, 1967, 450p. [*Esquisses du Canada français*, Montreal, Fides, 1967, 450p.]

Borduas et les automatistes, Montreal, Éditeur officiel du Québec, 1971, 154p.

"La province de Québec," *Revue française de l'élite européenne*, No 140, May 1962, 123p.

Les Arts au Canada, Ottawa, Imprimeur de la Reine, 1961, 120p.

Peinture canadienne-française, Montreal, Les Presses de l'Université de Montréal, 1970, VIII-69p.

Peinture canadienne-française, Montreal, Les Presses de l'Université de Montréal, 1971, VIII-113p.

BARBEAU, M., *Painters of Quebec*, Toronto, Ryerson Press, 1946, 50p.

BARBEAU, V. (ed.), *Geraldine Bourbeau, peintre-céramiste-critique d'art, 1906-1953*, Montreal, 1954, 156p.

HARPER, J.-R., *La peinture au Canada des origines à nos jours*, Quebec City, Les Presses de l'Université Laval, 1966, 446p. [*Painting in Canada*, Toronto, University of Toronto Press, 1966, VIII-443p.]

MORISSET, G., *La Peinture traditionnelle au Canada français*, Montreal, Le Cercle du Livre de France, 1960, 220p.

OSTIGUY, J. R., *Un Siècle de peinture canadienne, 1870-1970*, Quebec City, Les Presses de l'Université Laval, 1971, 206p.

RIOPELLE, C., *Peinture canadienne contemporaine*, Ottawa, Galerie nationale du Canada, 1972, 24p.

ROBERT, G., *Pellan, sa vie, son oeuvre*, Montreal, Centre de Psychologie et de Pédagogie, 1963, 135p.

ROBERT, G., *Riopelle, ou la poétique du geste*, Montreal, Éd. de l'Homme, 1970, 217p.

VIAU, G., *La peinture moderne au Canada français*, Quebec City, Ministère des affaires culturelles, 1964, 96p.

E – THEATRE

See: **Literature**

Periodicals:

Champ libre
The Canadian Composer/Le Compositeur canadien
Culture
Culture vivante
Liberté
Vie des arts
Vie musicale

See also:

Culture
Education, Teaching, and School Systems
Handicraft
Literature

3. BICULTURALISM AND BILINGUALISM

Bibliography

HAUGEN, E. I., *Bilingualism in the Americas: A Bibliography and Research Guide*, University of Alabama Press, 1956, 159p.

Studies

Le bilinguisme et l'union canadienne, Montreal, Éd. de l'Agence Duvernay, 1964, 69p.

Cent ans d'histoire (1867-1967), Revue d'Histoire de l'Amérique française, Vol. XXI, No 3a.

Le Fédéralisme, l'Acte de l'Amérique du Nord britannique et les Canadiens français, Montreal, Éd. de l'Agence Duvernay, 1964, 125p.

Le Québec dans le Canada de demain, Montreal, Éd. du Jour, 1967, 2 vol.

Rapport préliminaire de la Commission royale d'enquête sur le bilinguisme et le biculturalisme, Ottawa, Imprimeur de la Reine, 1965, 217p. [*Preliminary Report of the Royal Commission on Bilingualism and Biculturalism*, Ottawa, Queen's Printer, 1965.]

Rapport de la Commission royale d'enquête sur le bilinguisme et le biculturalisme, Ottawa, Imprimeur de la Reine, 1965-1969, 4 vol. [*Report of the Royal Commission on Bilingualism and Biculturalism*, Ottawa, Queen's Printer, 1965-1969, 4 vol.] [10 vol. were to be published, but it has been decided that only 4 would appear.]

The French Language and Culture in Canada, Brandon, Brandon University, 1969, 89p.

ARÈS, R., *Nos grandes options politiques et constitutionelles*, Montreal, Éd. Bellarmin, 1972, 243p.

ANGERS, F. A. *Les Droits du français au Québec*, Montreal, Éd. du Jour, 1971, 189p.

BARBEAU, R., *Le Québec bientôt unilingue?*, Montreal, Éd. de l'Homme, 1965, 158p.

BARBEAU, V., *Le Français au Canada*, Montreal, Éd. de l'Académie canadienne-française, 1963, 256p.

BASTIEN, H. *Le bilinguisme au Canada*, Montreal, Éd. de l'Action canadienne-française, 1938, 206p.

BIBEAU, G., *Nos enfants parleront-ils français?*, Montreal, Éd. de l'Actualité, 1966, 93p.

BISSONNETTE, R., *Essai sur la constitution du Canada*, Montreal, Éd. du Jour 1963, 199p.

BRAZEAU, J. (ed.), *Le français, langue de travail*, Quebec City, Les Presses de l'Université Laval, 1971, 144p.

BROCHU, M., *La réalité du bilinguisme au Canada*, Quebec City, L'Action catholique, 40p.

BRUNET, M., *Canadians et Canadiens*, Montreal, Fides, 1954, 113p.

BRUNET, M., *La présence anglaise et les Canadiens*, Montreal, Beauchemin, 1964, 292p.

BRUNET, M., *Québec-Canada anglais: deux itinéraires, un affrontement*, Montreal, HMH, 1968, 309p.

CHAPUT-ROLLAND, S., *Mon pays, Québec ou le Canada?*, Montreal, Cercle du Livre de France, 1967, 155p. [*My Country, Canada or Quebec?*, Toronto, Macmillan, 1966, XI-122p.].

CHAPUT-ROLLAND, S., *Une ou deux sociétés justes?*, Montreal, Cercle du Livre de France, 1969, 215p.

CHAPUT-ROLLAND, S. & GRAHAM, G., *Chers ennemis*, Montreal, Éd. du Jour, 1963, 126p. [*Dear Enemies*, New York, Devin-Adair Co., 1965, XI-112p.].

CHIASSON, R. J., *Bilingualism in the Schools of Eastern Nova Scotia*, Quebec City, Éd. Ferland, 1962, 250p.

CONSEIL DE LA VIE FRANÇAISE EN AMÉRIQUE, *Bilinguisme et biculturalisme*, Quebec City, Ed. Ferland, 1964, 240p.

CONSEIL DE LA VIE FRANÇAISE EN AMÉRIQUE, *L'Avenir du peuple canadien-français*, Quebec City, Éd. Ferland, 1965, 62p.

CONSEIL DE LA VIE FRANÇAISE EN AMÉRIQUE, *Nothing More, Nothing Less: A French-Canadian View of Bilingualism and Biculturalism*, Toronto, Holt, Rinehart and Winston, 1967, VII-79p.

CONSEIL DE LA VIE FRANÇAISE EN AMERIQUE, *Un Québec français*, Quebec City, Éd. Ferland, 1969, 151p.

COSTISELLA, J., *The Scandal of Canadian Racism – Quebec: A Ghetto for French Canadians*, Ottawa, Comité canadien-français de vigilance, 1963, 124p.

COTNAM, J., *Faut-il inventer un nouveau Canada?*, Montreal, Fides, 1967, 256p.

CRÉPEAU, P. A. & MACPHERSON, C. B. (eds.), *The Future of Canadian Federalism/L'Avenir du fédéralisme canadien*, Toronto, University of Toronto Press, 1965, X-188p.

DANSEREAU, P., *Contradictions et biculture*, Montreal, Éd. du Jour, 1964, 220p.

DESBARATS, P., *The State of Quebec*, Toronto, McClelland and Stewart, 1965, 188p.

ÉTATS GÉNÉRAUX DU CANADA FRANÇAIS, *Assises nationales*, Montreal, Action nationale, 1969, 646p.

FARIBAULT, M. & FOWLER, R. M., *Dix pour un – Le pari confédératif*, Montreal, Les Presses de l'Université de Montréal, 1965, 165p. [*Ten to One: The Confederation Wager*, Toronto, McClelland and Stewart, 1965, 150p.].

FARIBAULT, M., *La révision constitutionnelle*, Montreal, Fides, 1970, 223p.

FRÉMONT, D., *Le français dans l'Ouest canadien*, Winnipeg, Éd. de la liberté, 1959, 162p.

GOTLIEB, A. E. (ed.), *Human Rights, Federalism, and Minorities*, Toronto, Canadian Institute of International Affairs, 1970, X-268p.

GROULX, L., *L'enseignement français au Canada*, Montreal, Granger, 1931, 2 vol.

HERTEL, F., *Cent ans d'injustice*, Montreal, Éd. du Jour, 1967, 111p.

HOFFMAN, D. & WARD, N., *Bilingualism and Biculturalism in the Canadian House of Commons*, Ottawa, Queen's Printer, 1971, 295p.

KATTAN, N., *L'Immigrant de langue française et son intégration au Québec, Écrits du Canada français*, No. 25. pp. 173-247.

LALANDE, G., *Le Ministère des affaires extérieures et la dualité culturelle*, Ottawa, Imprimeur de la Reine, 1969, XV-217p.

LAMONTAGNE, M., *Le fédéralisme canadien: évolution et problèmes*, Quebec City, Les Presses de l'Université Laval, 1954, 298p.

LAPOINTE, Y., *Essais sur la fonction publique québécoise*, Ottawa, Information Canada, 1971, VIII-338p.

LANDRY, L., *. . . et l'assimilation, pourquoi pas?*, Montreal, Presses libres, 1969, 126p.

LÉVESQUE, A., *La dualité culturelle au Canada hier, aujourd'hui, demain*, Montreal, A. Lévesque, 1960, 256p.

LEVITT, J. (ed.), *Henri Bourassa on Imperialism and Biculturalism, 1900-1918*, Toronto, Copp Clark, 1970, 183p.

LIEBERSON, S., *Language and Ethnic Relations in Canada*, New York, J. Wiley, 1970, XII-264p.

MACKEY, W. F., *Bilingualism as a World Problem*, Montreal, Harvest House, 1967, 57p.

MAHEUX, A., *Pourquoi sommes-nous divisés?*, Montreal, Beauchemin, 1943, 217p.

MAHEU, P., *Les francophones du Canada, 1941-1991*, Montreal, Parti-Pris, 1970, 119p.

MASSEY, V., *Speaking of Canada*, Toronto, Macmillan, 1959, X-244p.

MEEKISON, J. R., *Canadian Federalism: Myth or Reality*, Toronto, Methuen, 1968, XV-432p.

MORTON, W. L., *The Canadian Identity*, Toronto, University of Toronto Press, 1961, X-126p.

O'HEARN, W. & FERGUSON, G. V., *English-Canadian Points of View on Biculturalism*, Montreal, Montreal Star, 1964, 26p.

PAINCHAUD, L., *Le Bilinguisme à l'Université*, Montreal, Beauchemin, 1969, 248p.

PORTER, J., *The Vertical Mosaic*, Toronto, University of Toronto Press, 1965. XXII-626p.

RUMILLY, R., *Le problème national des Canadiens français*, Montreal, Fides, 1961, 146p.

SCHWARTZ, M. A., *Public Opinion and Canadian Identity*, Scarborough, Fitzhenry and Whiteside, 1967, XVII-263p.

SCOTT, F. & OLIVER, M., *Quebec States Her Case*, Toronto, Macmillan, 1964, 165p.

TESIOROWSKI, J., *Canadiens français, puissance du nombre; étude statistique sur le bilinguisme*, Montreal, Beauchemin, 1966, 50p.

WADE, M. (ed.), *Canadian Dualism/La dualité canadienne*, Toronto and Quebec City, University of Toronto Press and Les Presses de l'Université Laval, 1960, XXV-427p.

WHITWORTH, F. G., *One Family... Two Cultures*, Quebec City, Éd. Garneau, 1969, 130p.

WILSON, E., *O Canada: An American's Notes on Canadian Culture*, New York, Farrar, Straus & Giroux, 1965, 245p.

See also:

Culture
Demography
Education, Teaching, and School Systems
Federalism
French Canada and French Canadians
French Language in Canada
Nationalism
Political Life and Political Issues in Quebec
Society and Social Life in Quebec

4. CULTURE

Cent ans d'histoire (1867-1967), Revue d'histoire de l'Amérique française, Vol. XXI, No 3a.

Colloque sur le Canada français, Montreal, Montreal Star, 1963, 151p [*Seminar on French Canada*, Montreal, Montreal Star, 1963, 140p.]

Esquisses du Canada français, Montreal, Fides, 1967, 450 p. [*Facets of French Canada*, Montreal, Fides, 1967, 450p.].

Le Canada au seuil du siècle de l'abondance, Montréal, HMH, 1969, 376p.

Le Canada et les pays africains francophones, Ottawa, Commission nationale canadienne pour l'Unesco, 1965, IX-170p.

"Le Canada français," *Esprit*, Nos. 8-9, August-September 1952, 169p.

Le Canada français aujourd-hui et demain, Paris, Fayard, 1961, 197p.

"Le Canada français entre le passé et l'avenir," *Chronique sociale de France*, September 15, 1957, pp. 401-504.

Les Nouveaux Québecois, Quebec City, Les Presses de l'Université Laval, 1964, 204p.

"La Province de Québec," *Revue française de l'élite européenne*, No 140, May 1962, 123p.

"La province de Québec," *Revue française de l'élite européenne*, No 59, August 1954, VIII-74p.

Le Québec dans le Canada de demain, Montreal, Éd. du Jour, 1967, 2 vol.

Rapport de la Commission royale d'enquête sur l'avancement des arts, lettres, sciences, au Canada, 1949-1951, Ottawa, Imprimeur du Roi, 1951, XIX-596p. [*Report of the Royal Commission on National Development in the Arts, Letters and Sciences, 1949-1951*, Ottawa King's Printer, 1951, XXI-517p.].

Rapport de la Commission royale d'enquête sur l'enseignement dans la province de Québec, Quebec City, Imprimeur de la Reine, 1966, 5 vol. [*Report of the Royal Commission of Inquiry on Education in the Province of Quebec*, Quebec City, Queen's Printer, 1966, 5 vol.].

Report of Royal Commission on Publications, Ottawa, Queen's Printer, 1961, VI-263.

Royal Commission Studies: A Selection of Essays Prepared for the Royal Commission on National Development in the Arts, Letters and Sciences, Ottawa, King's Printer, 1951, VII-430p.

Société canadienne et culture française, Liège, Université de Liège, 1970, 69p.

The French Language and Culture in Canada, Brandon, Brandon University, 1969, 89p.

ACELF, *Le Canada français en marche*, Quebec City, Éd. de l'ACELF, 1968, 316p.

ANGERS, F. A., *Pour orienter nos libertés*, Montreal, Fides, 1969, 280p.

ANGERS, P., *Problèmes de culture au Canada français*, Montreal, Beauchemin, 1959, 105p.

AUBERT de la Rue, Ph., *Canada incertain: un pays à la recherche de son identité*, Paris, Ed. du Scorpion, 1964, 217p.

BARBEAU, V., *L'Académie canadienne-française*, Montreal, Académie canadienne-française, 1960, 84p.

BAILLARGEON, P., *Le Choix*, Montreal, HMH, 1969, 172p.

BERGERON, G., *Le Canada français après deux siècles de patience*, Paris, Éd. du Seuil, 1967, 288p.

BLAIN, M., *Approximations*, Montreal, HMH, 1967, 246p.

BONENFANT, F. (ed.), *Cri d'alarme ... La civilisation scientifique et les Canadiens français*, Quebec City, Les Presses de l'Université Laval, 1963, 142p.

CHAPIN, M., *Quebec Now*, Toronto, Ryerson Press, 1955, 185p.

CONSEIL DE LA VIE FRANÇAISE EN AMÉRIQUE, *Un Québec français*, Quebec City, Editions Ferland, 1969, 151p.

DAGENAIS, G., *Nos écrivains et le français*, Montreal, Éd. du Jour, 1967, 109p.

DANSEREAU, P., *Contradictions et biculture*, Montreal, Éd. du Jour, 1964, 116p.

DESBIENS, J.-P., *Les Insolences du frère Untel*, Montreal, Éd. de l'Homme, 1960, 154p. [*The Impertinences of Brother Anonymous*, Montreal, Harvest House, 1962, 126p.]

DESBIENS, J.-P., *Sous le soleil de la pitié*, Montréal, Éd. du Jour, 1965, 122p.

DESY, J., *Les sentiers de la culture*, Montreal, Fides, 1954, 224p.

DROLET, A., *Les bibliothèques canadiennes, 1604-1960*, Montreal, Le Cercle du Livre de France, 1965, 234p.

DUMONT, F. *Le lieu de l'homme*, Montreal, HMH, 1968, 235p.

DUMONT, F. & FALARDEAU, J. C. (eds), *Littérature et société canadiennes françaises*, Quebec City, Les Presses de l'Université Laval, 1964, 272p.

DUMONT, F. & MARTIN, Y. (eds), *Situation de la recherche sur le Canada français*, Quebec City, Les Presses de l'Université Laval, 1962, 296p.

DUMONT, F. & MONTMINY, J.-P. (eds.), *Le pouvoir dans la société canadienne-française*, Quebec City, Les Presses de l'Université Laval, 1965, 252p.

DUMONT, F. & MONTMINY, J.-P. (eds.), *Idéologie au Canada français*, Quebec City, Les Presses de l'Université Laval, 1971, IX-327p.

ÉTATS GÉNÉRAUX DU CANADA FRANÇAIS, *Assises nationales*, Montreal, Action nationale, 1969, 646p.

FALARDEAU, J.-C. (ed.), *Essais sur le Québec contemporain/Essays on Contemporary Quebec*, Quebec City, Les Presses de l'Université Laval, 1953, 260p.

FALARDEAU, J.-C., *Roots and Values in Canadian Lives*, Toronto, University of Toronto Press, 1961, 62p.

FÉDÉRATION LIBÉRALE DU QUÉBEC, *Pour une politique québécoise*, Montreal, Éd. du Jour, 1967, 211p.

GAGNON, E., *L'Homme d'ici*, Montreal, HMH, 1963, 190p.

GAGNON, O., *Cultural Developments in the Province of Quebec*, Toronto, University of Toronto Press, 1952, 21p.

GAY, R., *Immigrant au Canada*, Paris, Nouvelles éditions Debresse, 1963, 190p.

GRAND, D. (ed.), *Quebec Today*, Toronto, University of Toronto Press, 1960, 105p. (First published as supplement to April 1958 issue of the *University of Toronto Quarterly*.]

GROULX, L., *Chemins de l'avenir*, Montreal, Fides, 1964, 161p.

GROULX, L., *Constantes de vie*, Montreal, Fides, 1967, 172p.

HEINA, J., *La vocation de la France et du Canada français*, Fribourg, Librairie Saint-Paul, 1956, 176p.

HICKMAN, H., (ed.), *Le Québec, tradition et évolution*, Toronto, W. J. Gage, 1967, 2 vol.

JOHNSON, D., *Égalité ou indépendance*, Montreal, Éd. de l'Homme, 1968, 125p. [2nd ed.]

KATTAN, N., "L'Immigrant de langue française et son intégration au Québec," *Écrits du Canada français*, No 25, pp. 173-247.

LAMBERT, M., *Remise en question totale de notre culture*, Montreal, Éd. Nouvelle civilisation, 1968, 147p.

LAMONTAGNE, L. (ed.) *Le Canada français d'aujourd'hui*, Quebec City, Les Presses de l'Université Laval, 1970. VIII-161p.

LAMONTAGNE, L. (ed.), *Visages de la civilisation au Canada français*, Quebec City, Les Presses de l'Université Laval, 1970, VIII-130p.

LAPIERRE, L. L., *French-Canadian Thinkers of the Nineteenth and Twentieth Centuries*, Montreal, McGill University Press, 1966, 117p.

LAPIERRE, L. L. (ed.), *Québec: hier et aujourd'hui*, Toronto, Macmillan, 1967, 306p.

LAZURE, J., *La Jeunesse du Québec en révolution*, Quebec City, Les Presses de l'Université du Québec, 1970, 140p.

LEBEL, M., *Éducation et humanisme*, Sherbrooke, Éd. Paulines, 1966, 480p.

LEBEL, M. (ed.), *Les humanités classiques au Québec*, Quebec City, Éd. de l'Acropole et du Forum, 1967, 152p.

LEMOYNE, J., *Convergences*, Montreal, HMH, 1961, 324p.

LESAGE, G., *Notre éveil culturel*, Montreal, Rayonnement, 1963, 200p.

LÉVESQUE, A., *La dualité culturelle au Canada: hier, aujourd'hui, demain*, Montreal, Lévesque, 1960, 256p.

LIEBERSON, S., *Language and Ethnic Relations in Canada*, New York, J. Wiley, 1970, XII-264p.

MACRAE, C. F. (ed.) *French Canada Today*, Sackville, Mount Allison University Press, 1961, 115p.

MANN, W. E., *Social and Cultural Change in Canada*, Toronto, Copp Clark, 1970-1971, 2 vol.

MARION, S., *Traditions du Québec*, Montreal, Éd. Lumen, 1946, 245p.

MAURAULT, O. (ed.) *French Canadian Background*, Toronto, Ryerson Press, 1940, 101p.

MCDOUGALL, R. L. (ed.) *Our Living Tradition*, Toronto, University of Toronto Press, 1965, XII-179p.

MICHAUD, P. *Mon p'tit frère*, Quebec City, Institut littéraire du Québec, 1960, 158p.

MOREUX, C., *Fin d'une religion?*, Montreal, Les Presses de l'Université de Montréal, 1969, XLI-485p.

MORTON, W. L., *The Canadian Identity*, Toronto, University of Toronto Press, 1961, X-126p.

PARK, J. (ed.), *The Culture of Contemporary Canada*, Toronto and Ithaca, Ryerson Press and Cornell University Press, 1957, XV-404p.

PARTI QUÉBÉCOIS, *Les Dossiers du 4ième congrès national du Parti québécois*, Montreal, Ed. du Parti québécois, 1972, 414p.

PELLERIN, J., *Lettre aux nationalistes québécois*, Montreal, Éd. du Jour, 1969, 142p.

PELLETIER, A. *Carquois*, Montreal, Librairie d'action canadienne-française, 1931, 217p.

POLLOCK, L., *Répertoire des bibliothèques du Québec*, Montreal, Ministère des affaires culturelles, 1970, VII-101p.

RIOUX, M., *La question du Québec*, Paris Seghers, 1969, 184p. [*Quebec in Question*, Toronto, James, Lewis & Samuel, 1971, 191p.]

ROSS, M. (ed.) *Our Sense of Identity*, Toronto, Ryerson Press, 1954, 346p.

ROY, C., *Pour conserver notre héritage français*, Montreal, Beauchemin, 1937, 186p.

ROY P.-C., *Les intellectuels dans la cité*, Montreal, Fides, 1963, 85p.

SCHWARTZ, M. A., *Public Opinion and Canadian Identity*, Scarborough, Fitzhenry and Whiteside, 1967, XVII-263p.

SHEVENELL, R. H., *Recherches et thèses/Research and Theses*, Ottawa, Éd. de l'Université d'Ottawa, 1958, 162p.

SIMARD, J., *Répertoire*, Montreal, Cercle du Livre de France, 1961, 319p.

SOCIÉTÉ ROYALE DU CANADA, *Aux sources du présent/The Roots of the Present*, Toronto, University of Toronto Press, 1960, X-111p.

TOUGAS, G., *La Francophonie en péril*, Montreal, Cercle du Livre de France, 1967, 184p.

TREMBLAY, M. & FORTIN, G., *Études des conditions de vie, des besoins et des aspirations des familles salariées canadiennes-françaises*, Quebec City, Centre de Recherches sociales de l'Université Laval, 1963, 3 vol.

TRUDEAU, P. E. (ed.), *La grève de l'amiante*, Montreal, Éd. du Jour, 1970, XVIII-430p. [New edition. Published first in 1956, by Cité libre.]

TURI, G., *Une Culture appelée québécoise*, Montreal, Éd. de l'Homme, 1971, 123p.

VADEBONCOEUR, P., *La ligne du risque*, Montreal, HMH, 1969, 286p.

VATTIER, G., *Essai sur la mentalité canadienne-française*, Paris, H. Champion, 1928, 384p.

WADE, M., (ed.), *French Canadian Outlook*, New York, The Viking Press, 1946, 192p.

WADE, M., *The French Canadians*, Toronto, Macmillan, 1970 (new edition), 2 vol.

WHITWORTH, F. G., *One Family . . . Two Cultures*, Quebec City, Éd. Garneau, 1969, 130p.

WILSON, E., *O Canada: An American's Notes on Canadian Culture*, New York, Farrar, Straus & Giroux, 1965, 245p.

5. DEMOGRAPHY*

Esquisses du Canada français, Montreal, Fides, 1967, 450p. [*Facets of French Canada*, Montreal, Fides, 1967, 450p.]

Le Québec dans le Canada de demain, Montreal, Éd. du Jour, 1967, 2 vol.

Rapport de la Commission royale d'enquête sur le bilinguisme et le biculturalisme, Ottawa, Imprimeur de la Reine, 1965-1969, 4 vol. [*Report of the Royal Commission on Bilingualism and Biculturalism*, Ottawa, Queen's Printer, 1965-1969, 4 vol.]

CONSEIL DE LA VIE FRANÇAISE EN AMÉRIQUE, *La Crise de la natalité au Québec*, Quebec City, Éditions Ferland, 1968, 40p.

DUMONT, F. & MARTIN, Y., *Situation de la recherche sur le Canada français*, Quebec City, Les Presses de l'Université Laval, 1962, 296p.

ÉTATS GÉNÉRAUX DU CANADA FRANÇAIS, *Assises nationales*, Montreal, Action nationale, 1969, 646p.

GRINDSTAFF, C. F., BOYDELL, C. L., & WHITEHEAD, P. C. (eds.), *Population Issues in Canada*, Toronto, Holt, Rinehart and Winston, 1971, IX-102p.

HENRIPIN, J., *La population canadienne au début de XVIIIe siècle*, Paris, Presses universitaires de France, 1955, XX-129p.

HENRIPIN, J., *Le coût de la croissance démographique*, Montreal, Les Presses de l'Université de Montréal, 1968, 43p.

HENRIPIN, J. & LEGARE, J., *Evolution démographique du Québec et de ses régions, 1966-1986*, Quebec City, Les Presses de l'Université Laval, 1969, 127p.

* Useful information and statistiques will be found in *L'Annuaire du Québec* which has been published since 1914.

HENRIPIN, J. & MARTIN Y., *La population du Québec et de ses régions*, Quebec City, Les Presses de l'Université Laval, 1964, 85p.

HUGUES, E. C. *French Canada in Transition*, Chicago, University of Chicago Press, 1943, XV-227.

KALBACK, W. E. & MCVEY, W. W., *The Demographic Bases of Canadian Society*, Toronto, McGraw-Hill, 1971, 354p.

LAMONTAGNE, L. (ed.), *Le Canada français d'aujourd'hui*, Quebec City, Les Presses de l'Université Laval, VIII-161p.

LANGLOIS, G., *Histoire de la population canadienne-française*, Montreal, A. Lévesque, 1934, 309p.

LESSARD, M.-A. & MONTMINY, J. P., *L'Urbanisation de la société canadienne-française*, Quebec City, Les Presses de l'Université Laval, 1968, 211p.

MAHEU, R., *Les francophones du Canada, 1941-1991*, Montreal, Éd. Parti Pris, 1970, 119p.

PORTER, J., *The Vertical Mosaic*, Toronto, University of Toronto Press, 1965, XXII-626p.

RIOUX, M. & MARTIN, Y. (eds.), *French Canadian Society*, Toronto, McClelland and Stewart, 1964, 405p.

TESIOROWSKI, J., *Canadiens français, puissance du nombre: étude statistique sur le bilinguisme*, Montreal, Beauchemin, 1966, 50p.

VEYRET, P., *La population du Canada*, Paris, Presses universitaires de France, 1953, 158p.

6. DUPLESSIS, MAURICE

L'Union nationale, son histoire, ses chefs, sa doctrine, Quebec City, Éd. du mercredi, 1969, 183p.

BARRETTE, A., *Mémoires*, Montreal, Beauchemin, 1966, 448p.

BERGERON, G., *Du Duplessisme au Johnsonisme*, Montreal, Parti Pris, 1967, 400p.

CHALOULT, R., *Mémoires politiques*, Montreal, Éd. du Jour, 1969, 295p.

COOK, R., *Canada and the French-Canadian Question*, Toronto, Macmillan, 1966, 219p.

DES TROIS RIVES (pseud.), *Maurice Duplessis*, Éditions du Château, 1960, 124p.

HAMELIN, J. & HAMELIN, M., *Les moeurs électorales dans le Québec*, Montreal, Éd. du Jour, 1962, 124p.

LAPOINTE, R., *L'Histoire bouleversante de Mgr. Charbonneau*, Montreal, Éd. du Jour, 1962, 157p.

LAPORTE, P., *Le vrai visage de Duplessis*, Montreal, Éd. de l'Homme, 1960, 140p. [*The True Face of Duplessis*, Montreal, Harvest House, 1960, 140p.]

NADEAU, J.-M., *Carnets politiques*, Montreal, Éd. Parti Pris, 1966, 174p.

NISH, J. C., *Quebec in the Duplessis Era, 1935-1959: Dictatorship or Democracy?*, Toronto, Copp Clark, 1970, 164p.

QUINN, H. F., *The Union nationale: A Study in Quebec Nationalism*, Toronto, University of Toronto Press, 1963, 249p.

ROBERTS, L., *The Chief: A Political Biography of Maurice Duplessis*, Toronto, Clarke Irwin, 1963, IX-205p.

TRUDEAU, P. E. (ed.), *La grève de l'amiante*, Montreal, Éd. du Jour, 1970, XVIII-430p. [new edition.]

TRUDEAU, P. E., *Le Fédéralisme et la société canadienne-française*, Montreal, HMH, 1967, 230p. [*Federalism and the French Canadians*, Toronto, Macmillan, 1968, XXVI-212p.]

7. ECONOMY, INDUSTRY, AND AGRICULTURE

Bibliography:

NISH, C., "Bibliographie des bibliographies relatives à l'histoire économique du Canada français," *L'Actualité économique*, vol. 40, No 2, July-September 1964, pp. 456-466.

Studies

Cent ans d'histoire (1867-1967). Revue d'histoire de l'Amérique française, vol. XXI, No 3a.

Colloque sur le Canada français, Montreal, Montreal Star, 1963, 151p. [*Seminar on French Canada*, Montreal, Montreal Star, 1963, 140p.]

"Bienvenue! to the New Industrial Giant, la province de Québec," New York, *New York Times*, section 10, Sunday, April 22, 1956, 28p.

Commission royale d'enquête sur les perspectives économiques du Canada, Ottawa, Imprimeur de la Reine, 1958, 521p. [*Report of the Royal Commission on Canada's Economic Prospects*, Ottawa, Queen's Printer, 1958, 509p.]

Conjoncture économique canadienne/Canadian Economic Outlook, Montreal, Les Presses de l'Université de Montréal, 1963, 73p.

L'Économie canadienne: Où allons-nous! Quebec City, Les Presses de l'Université Laval, 1963, 194p.

Économie québécoise, Quebec City, Presses de l'Université du Québec, 1969, 495p.

Esquisses du Canada français, Montreal, Fides, 1967, 450p. [*Facets of French Canada*, Montreal, Fides, 1967, 450p.]

La famille canadienne-française et la consommation/The French-Canadian Family as a Consumer Unit, Montreal, Éd. de la Table Ronde, 1971, 99p. (Bilingual text.)

Le Canada au seuil du siècle de l'abondance, Montreal, HMH, 1969, 376p.

"Le Canada français entre le passé et l'avenir," *Chronique sociale de France*, September 15, 1957, pp. 401-504.

Le Canada français aujourd'hui et demain, Paris, Fayard, 1961, 197p.

La dualité canadienne à l'heure des États-Unis, Quebec City, Les Presses de l'Université Laval, 1965, 132p.

Le Québec économique, Saint-Hyacinthe, Éd. Alerte, 1961, 160p.

Le Québec dans le Canada de demain, Montreal, Éd. du Jour, 1967, 2 vol.

"Un Québec libre à inventer?," Special Issue of the review *Maintenant*, September 1967.

"Québec," *Cité libre*, vol, 17, No 2, November-December 1966, pp. 3-60.

Problèmes de planification, Montreal, Presses de l'École des hautes études commerciales, 1964, 301p.

La planification économique dans un état fédératif, Quebec City, Les Presses de l'Université Laval, 1965, 68p.

"La province de Québec," *Revue française de l'élite européenne*, No 140, May 1962, 123p.

Répertoire des manufactures de la province de Québec (Répartition par industrie), Quebec City, Imprimeur de la Reine, 1962, IX,-295p. (Bilingual text.)

Répertoire des manufactures de la province de Québec, (Répartition géographique), Quebec City, Imprimeur de la Reine, 1963, IX-501p. (Bilingual text).

Report of the Royal Commission on Dominion-Provincial Relations, Ottawa, King's Printer, 1940, 3 vol.

Report of the Royal Commission on Taxation, Ottawa, Queen's Printer, 1966, 6 vol.

The Face of Canada, London and Toronto, G. G. Harrap and Clarke, Irwin, 1960, X-229p.

Une page d'histoire de Québec, magnifique essor industriel, Montreal, Société historique nationale, in collaboration with the industrial historical society, 1955, 558p.

23 dossiers de Québec-Presse, Montreal, Réédition-Québec, 1971, 255p.

ACELF, *Le Canada français en marche*, Quebec City, Éd. de l'ACELF, 1968, 316p.

AITKEN, H. G. J., *American Capital and Canadian Resources*, Cambridge, Harvard University Press, 1961, XII-217p.

ANGERS, F. A., *Pour orienter nos libertés*, Montreal, Fides, 1969, 280p.

AULD, D. A. L. (ed.), *Economics: Contemporary Issues in Canada*, Toronto, Holt, Rinehart and Winston, 1972, IX-180p.

BARBEAU, R., *Le Québec est-il une colonie?*, Montreal, Éd. de l'Homme, 1962, 160p.

BARBEAU, R., *La libération économique du Québec*, Montreal, Éd. de l'Homme, 1963, 158p.

BARBEAU, V., *Mesure de notre taille*, Montreal, Le Devoir, 1936, 243p.

BAUDOUIN, L. (ed.), *La recherche au Canada français*, Montreal, Les Presses de l'Université de Montréal, 1968, 164p.

BÉDARD, R., *L'essor économique du Québec*, Montreal, Beauchemin, 1969, 524p.

BELLAN, R. C., *Principles of Economics and the Canadian Economy*, Toronto, McGraw-Hill, 1963, XIII-556p.

BERGERON, L., *Petit manuel d'histoire du Québec*, Montreal, Éd. québécoises, 1970, 207p.

BLANCHARD, R., *Le Canada français*, Paris, Fayard, 1960, 316p.

BONIN, B., *L'investissement étranger à long terme au Canada: Ses caractères et ses effets sur l'économie canadienne*, Montreal, Les Presses de l'École des hautes études commerciales, 1967, 462p.

BOUCHETTE, E., *L'Indépendance économique du Canada français*, Arthabaska, 1906, 334p.

BREWIS, T. N., *Canadian Economic Policy* (with a statistical appendix by J. E. Gander), Toronto, Macmillan, 1965, 463p.

BRICHANT, A. A., *Option Canada*, Montreal, Comité Canada, 1968, XVI-54p.

BRILLANT, J., *L'Impossible Québec*, Montréal, Éd. du Jour, 1968, 210p.

BROCHU, M., *Le défi du Nouveau-Québec*, Montreal, Éd. du Jour, 1962, 156p.

CAOUETTE, R., *Réal Caouette vous parle*, Montreal, Éd. du Caroussel [sic], 1962, 96p.

CAVES, R. E. & HOLTON, R. H., *The Canadian Economy; Prospect and Retrospect*, Cambridge, Harvard University Press, 1959, XXII-676p.

CHAMBRE DE COMMERCE DE LA PROVINCE DE QUÉBEC, *Le coût de l'indépendance: Une étude sur les conséquences économiques des options constitutionnelles*, Montreal, Ed. du Jour, 1969, 125p.

CIMON, P., *L'Entreprise au Québec/Quebec Business*, Montreal, Éd. du Jour, 1964, 140p.

CONSEIL DE BIEN-ÊTRE DU QUÉBEC, *Les inégalités socio-économiques et la pauvreté au Québec*, Montreal, 1965, 284p.

CONSEIL DE LA VIE FRANÇAISE EN AMÉRIQUE, *Enquête économique chez les groupes acadiens et canadiens-français hors du Québec*, Quebec City, Éd. Ferland, 1964, 39p.

CONSEIL DE LA VIE FRANÇAISE EN AMÉRIQUE, *L'Avenir du peuple canadien-français*, Quebec City, Éd. Ferland, 1965, 62p.

CURRIE, A. W., *Canadian Economic Development from the French Regime to the Present-day Canada of Ten Provinces*, 4th ed., Toronto, Nelson, 1963, VIII-470p.

DANEAU, Y., *L'Aménagement des régions rurales*, Montreal, Éd. de l'U.C.C., 1963, 132p.

DAUPHIN, R., *Les options économiques du Québec*, Montreal, Éd. du Jour, 1971, 143p.

DEHEM, R., *Planification économique et fédéralisme*, Quebec City, Les Presses de l'Université Laval, 1968, 201p.

DE NEVERS, E., *L'Avenir du peuple canadien-français*, Paris, H. Jouve, 1896, 441p.

DEUTSCH, J. J., (ed.), *The Canadian Economy: Selected Readings*, Toronto, Macmillan, 1961, XIV-549p.

DUMONT, F. & MARTIN, Y. (eds.), *Situation de la recherche sur le Canada français*, Quebec City, Les Presses de l'Université Laval, 1962, 296p.

DUMONT, F. & MONTMINY, J.-P. (eds.), *Le pouvoir dans la société canadienne-française*, Quebec City, .Les Presses de l'Université Laval, 1965, 252p.

EASTERBROOK, W. T. & AITKEN, H. G. T., *Canadian Economic History*, Toronto, Macmillan, 1956, XX-606p.

EASTERBROOK, W. T. & WALKINS, M. H. (eds.) *Approaches to Canadian Economic History*, Toronto, McClelland and Stewart, 1967, 290p.

ECONOMIC RESEARCH CORPORATION LTD., *The Economy of Quebec; An Appraisal and Forecast*, Montreal, Citadel Publications, 1960, VII-328p.

ÉTATS GÉNÉRAUX DU CANADA FRANÇAIS, *Assises nationales*, Montreal, Action nationale, 1969, 646p.

FALARDEAU, J. C., *Essais sur le Québec contemporain/Essays on Contemporary Quebec*, Quebec City, Les Presses de l'Université Laval, 1953, 260p.

FALARDEAU, J. C., *L'Essor des sciences sociales au Canada français*, Quebec City, Ministère des affaires culturelles, 1964, 68p.

FARIBAULT, M. & FOWLER R. M., *Dix pour un – Le pari confédératif*, Montreal, Les Presses de l'Université de Montréal, 1965, 165p. [*Ten to One: The Confederation Wager*, Toronto, McClelland and Stewart, 1965, 150p.]

FAUCHER, A., *Histoire économique et unité canadienne*, Montreal, Fides, 1970, XXIX-296p.

FAUTEUX, J.-N., *Essai sur l'industrie au Canada français*, Quebec City, Proulx, 1927, 2 vol.

FÉDÉRATION LIBÉRALE DU QUÉBEC, *Pour une politique québécoise*, Montreal, Éd. du Jour, 1967, 211p.

FILION, G., *La terre et la famille*, Montreal, Éd. de l'U.C.C., 1947, 112p.

FIRESTONE, O. J., *Canada's Economic Development, 1867-1953*, London, Bowes and Bowes, 1958, 384p.

FORTIN, G., *Le défi d'un monde rural nouveau*, Ottawa, Conseil de la recherche en économie agricole du Canada, 1966, III-54p.

GALARNEAU, C. & LAVOIE, E. (eds.), *France et Canada français du XVIe au XXe siècle*, Quebec City, Les Presses de l'Université Laval, 1966, 322p.

GALES, J. H. (ed.), *The Economic Background of Dominion-Provincial Relations*, Toronto, McClelland and Stewart, 1964, 191p.

GAUTHIER, F., *Centralisation ou décentralisation: Les contraintes de la politique économique*, Montreal, Bellarmin, 1967, 94p.

GARIGUE, Ph., *Études sur le Canada français*, Montreal, Les Presses de l'Université de Montréal, 1958, 110p.

GÉRIN, L., *Aux sources de notre histoire: Les conditions économiques et sociales de la colonisation en Nouvelle-France*, Montreal, Fides, 1946, 274p.

GÉRIN, L., *Le type économique et social des Canadiens*, Montreal, Fides, 1948, 221p.

GÉRIN-LAJOIE, P., *Une politique économique pour le Québec*, Dorion, Écho de Vaudreuil-Soulanges, 1968, 61p.

GORDON, W. L., *A Choice for Canada: Independence or Colonial Status*, Toronto, McClelland and Stewart, 1966, XX-125p. [*Le Canada à l'heure du choix*, Montreal, HMH, 1966, 128p.]

GRAND, D. (ed.) *Quebec Today*, Toronto, University of Toronto Press, 1960, 105p. [First published as supplement to April 1958 issue of the *University of Toronto Quarterly*.]

GORDON, W. L.,`*Troubled Canada: The Need for New Domestic Policies*, Toronto, McClelland and Stewart, 1961, X-134p.

HAMELIN, J. & ROBY, Y., *Histoire économique du Québec, 1851-1896*, Montreal, Fides, 1971, XXXVII-436p.

HAYOIS, G., *Le milieu rural*, Quebec City, Les Presses de l'Université Laval, 1952, 75p.

HUGHES, E. C. *French Canada in Transition*, Chicago, University of Chicago Press, 1943, XV-227p.

INNIS, A. H., *The Fur Trade in Canada: An Introduction to Canadian Economic History*, New Haven, Yale University Press, 1930, 44p.

INNIS, M. Q., *An Economic History of Canada*, Toronto, Ryerson Press, 1935, 363p.

JULIEN, C., *Le Canada: dernière chance de l'Europe*, Paris, Grasset, 1965, 294p. [*Canada: Europe's Last Chance*, Toronto, Macmillan, 1968, XIII-178p.]

KIERANS, E., *Le Canada vu par Kierans*, Montreal, Éd. du Jour, 1967, 158p.

KOSTAKEFF, J., *Qu'est-ce que le Crédit social?*, Montreal, Éd. du Jour, 1962, 128p.

KRUGER, A. M., *The Canadian Labour Market*, Toronto, University of Toronto Press, 1968, XIX-312p.

LALIBERTÉ, P., *Le Nord-ouest québecois*, Amos, Quebec, Éd. Ojibway, 1969, 67p.

LAMARCHE, J., *Les requins de la finance*, Montreal, Éd du Jour, 1966, 114p.

LAMARCHE, J.-A., *Les caisses populaires*, Montreal, Lidec, 1967, 146p.

LAMONTAGNE, L. (ed.), *Le Canada français d'aujourd'hui*, Quebec City, Les Presses de l'Université Laval, 1970, VIII-161p.

LAMONTAGNE, M., *Le fédéralisme canadien: évolution et problèmes*, Quebec City, Les Presses de l'Université Laval, 1954, 298p.

LAPALME, G. E., *Analyse de la situation financière et économique de Québec*, Quebec City, 1956, 63p.

LAPIERRE, L., *French Canadian Thinkers of the Nineteenth and Twentieth Centuries*, Montreal, McGill University Press, 1966. 117p.

LAURIN, J.-E., *Histoire économique de Montréal et des cités et villes du Québec*, Montreal, Laurin, 1942, 287p.

LE BOURDAIS, D. M., *Canada's Century*, Toronto, McClelland and Stewart, 1956, IX-214p.

LÉGER, J. M., *Notre situation économique: progrès ou stagnation?*, Montreal, Éd. de l'Action nationale, 1956, 59p.

LETOURNEAU, F., *Histoire de l'agriculture au Canada français*, Gardenvale, Harpell, 1959, 400p.

L'HEUREUX, E., *La participation des Canadiens français à la vie économique*, Quebec City, l'Action catholique, 1930, 62p.

LÉVESQUE, J., *Un peuple, oui, une peuplade, jamais!*, Montreal, Éd. de l'Homme, 1972, 191p.

LÉVESQUE, R., *Option Québec*, Montreal, Éd. de l'Homme, 1968, 175p. [*An Option for Quebec*, Toronto, McClelland and Stewart, 1968, 128p.]

LÉVESQUE, R., *La solution*, Montreal, Éd. du Jour, 1970, 125p.

LORANGER, J. G., *Investissement et financement manufacturiers au Canada*, Montreal, Les Presses de l'Université de Montréal, 1969, 595p.

MACRAE, C. F. (ed.), *French Canada Today*, Sackville, Mount Allison University Press, 1961, 115p.

MIGUÉ, J. L., (ed.), *Le Québec d'aujourd'hui: regards d'universitaires*, Montreal, HMH, 1971, 251p.

MINVILLE, E., *Études sur notre milieu*, Montreal, Fides, 1943-1946, 5 vol.

MINVILLE, E., *Histoire économique du Canada*, Montreal, Beauchemin, 1935, 126p.

MONTPETIT, E., *La conquête économique*, Montreal, Valiquette, 1942, 3 vol.

MOORE, A. M. & PERRY, H. J., *Financing Canadian Federation: The First Hundred Years*, Toronto, The Canadian Tax Foundation, 1953, 117p.

MORIN, R., *Réalités et perspectives économiques. Faut-il confier à New-York l'avenir des Canadiens français?*, Montreal, L'Action nationale, 1966, 118p.

OLIVER, M. K. (ed.), *Social Purpose for Canada*, Toronto, University of Toronto Press, 1961, XII-472p.

OUELLET, F., *Histoire de la Chambre de Commerce de Québec, 1809-1959*, Quebec City, Faculté de commerce de l'Université Laval, 1959, 105p.

OUELLET, F., *Histoire économique et sociale du Québec, 1760-1850*, Montreal, Fides, 1966, XXXII-640p.

PARTI QUÉBÉCOIS, *La souveraineté et l'économie*, Montreal, Éd. du Jour, 1970, 159p.

PARTI QUEBÉCOIS, *Qui contrôle l'économie du Québec?*, Montreal, Éd. du Parti québécois, 1972, 47p.

PARTI QUÉBÉCOIS, *Les Dossiers du 4ième congrès national du Parti québécois*, Montreal, Éd. du Parti québécois, 1972, 414p.

PEITCHINIS, S. G., *The Economics of Labour: Employment and Wages in Canada*, Toronto, McGraw-Hill, 1965, XI-412p.

RAYNAUD, A., *Croissance et structures économiques de la province de Québec*, Quebec City, Ministère de l'Industrie et du Commerce, 1961, 658p.

RAYNAUD, A., *Institutions économiques canadiennes* Montreal, Beauchemin, 1964, 476p. [*The Canadian Economic System*, Toronto, Macmillan, 1967, 440p.].

RIOUX, M. & MARTIN, Y. (eds.), *French Canadian Society*, Toronto, McClelland and Stewart, 1964, 405p.

RIVERIN, A., *L'Université et le développement socio-économique*, Montreal, Publications Les Affaires, 1971, 162p.

ROBY, Y., *Alphonse Desjardins et les Caisses populaires, 1854-1920*, Montreal, Fides, 1964, XXVI-149p.

ROCHETTE, L., *Le rêve séparatiste*, Montreal, Presses libres, 1969, 99p.

RUMILLY R., *Le problème national des Canadiens français*, Montreal, Fides, 1961, 147p.

RUMILLY, R., *Histoire de l'École des hautes etudes commerciales de Montréal 1907-1967*, Montreal, Beauchemin, 1967, 214p.

RYAN, W. F., *The Clergy and Economic Growth in Quebec (1896-1914)*, Quebec City, Les Presses de l'Université Laval, 1966, 348p.

STOVEL, J. A., *Canada in the World Economy*, Cambridge, Harvard University Press, 1959, XIII-364p.

SYLVESTRE, G. (ed.), *Structures sociales du Canada français*, Quebec City and Toronto, Les Presses de l'Université Laval and University of Toronto Press, 1966, 120p.

TREMBLAY, M. & FORTIN, G., *Les comportements économiques de la famille salariée du Québec; une étude des conditions de vie, des besoins et des aspirations*, Quebec City, Les Presses de l'Université Laval, 1964, 405p.

TREMBLAY, R., *Indépendance et marché commun Québec-É.U.*, Montreal, Éd. du Jour, 1970, 127p.

TRUDEAU, P. E. (ed.), *La grève de l'amiante*, Montreal, Éd. du Jour, 1970, XVIII-430p. [new edition. Published first in 1956, by Cité libre.]

TRUDEAU, P. E., *Réponses de P. E. TRUDEAU*, Montreal, Éd. du Jour, 1968, 127p.

WADE, M. (ed.), *Canadian Dualism/La dualité canadienne*, Toronto and Quebec City, University of Toronto Press and Les Presses de l'Université Laval, 1960, XXV-427p.

WATKINS, M. H. & FORSTER, D. F., *Economics: Canada – Recent Readings*, Toronto, McGraw-Hill, 1963, 376p.

Periodicals

L'Actualité économique
Canadian Chartered Accountant
Canadian Journal of Agricultural Economics
The Canadian Journal of Economics and Political Science/Revue d'économique et de science politique.
L'Économiste agricole
Le monde rural
Maintenant
Recherches sociographiques
Socialisme

8. EDUCATION, TEACHING, AND SCHOOL SYSTEMS

Bibliographies:

Bibliographie analytique de la littérature pédagogique canadienne-française, Montreal, Association canadienne des éducateurs de langue française, 1952, 108p.

HARRIS, R. S. & TREMBLAY, A., *A Bibliography of Higher Education in Canada/Bibliographie de l'enseignement supérieur au Canada*, Toronto and Quebec City, University of Toronto Press and Les Presses de l'Université Laval, 1960, XXV-158p.

HARRIS, R. S. & TREMBLAY, A., *Supplément 1965 de bibliographie de l'enseignement supérieur au Canada/Supplement 1965 to a Bibliography of Higher Education in Canada*, Quebec City and Toronto, Les Presses de l'Université Laval and University of Toronto Press, 1965, XXXI-170p.

THOMPSON, W. P., *Graduate Education in the Sciences in Canadian Universities*, Toronto, University of Toronto Press, 1963, XII-112p.

WILLIAMS, E. W., *Resources of Canadian University Libraries for Research in the Humanities and Social Sciences*, Ottawa, National Conference of Canadian Universities and Colleges, 1962, 87p.

Studies:

L'École pour tous, Quebec City, Les Presses de l'Université Laval, 1968, 270p.

Colloque sur le Canada français, Montreal, Montreal Star, 1963, 151p. [*Seminar on French Canada*, Montreal, Montreal Star, 1963, 140p.]

Cent ans d'histoire (1867-1967), Revue d'Histoire de l'Amérique française, Vol. XXI, No 3a.

Des hommes qui bâtissent le Québec, Montreal, Éd. de l'Homme, 1970, 170p.

Esquisses du Canada français, Montreal, Fides, 1967, 450p. [*Facets of French Canada*, Montreal, Fides, 1967, 450p.]

L'Éducation, problème social, Montreal, Bellarmin, 1963, 236p.

Notre réforme scolaire: l'enseignement classique, Montreal, Centre de Psychologie et de Pédagogie, 1963, 254p.

L'Éducation dans un Québec en évolution, Quebec City, Les Presses de l'Université Laval, 1966, 245p.

La Crise de l'Enseignement au Canada français, Montreal, Éd. du Jour, 1961, 123p.

L'École laïque, Montreal, Éd. du Jour, 1961, 125p.

Le Mouvement coopératif du Québec et l'éducation des adultes, Montreal, Institut canadien d'éducation des adultes, 1970, 220p.

"La province de Québec," *Revue française de l'élite européenne*, No. 140, May 1962, 123p.

Le Québec dans le Canada de demain, Montreal, Éd. du Jour, 1967, 2 vol.

Rapport de la Commission royale d'enquête sur l'avancement des arts, lettres, sciences au Canada, 1949-1951, Ottawa, Imprimeur du Roi, 1951, XIX-596p. [*Report of the Royal Commission on National Development in the Arts, Letters, and Sciences, 1949-1951*, Ottawa, King's Printer, 1951, XXI-517p.]

L'Université dit non aux Jésuites, Montreal, Éd. de l'Homme, 1961, 158p.

Rapport de la Commission royale d'enquête sur l'enseignement dans la province de Québec, Quebec City, Imprimeur de la Reine, 1966, 5 vol. [*Report of the Royal Commission of Inquiry on Education*, Quebec City, Queen's Printer, 1966, 5 vol.]

Royal Commission Studies: A Selection of Essays Prepared for the Royal Commission on National Development in the Arts, Letters, and Sciences, Ottawa, King's Printer, 1951, VII-430p.

ACELF, *Le Canada français en marche*, Quebec City, Éd. de l'ACELF, 1968, 316p.

ADAMS, H., *The Education of Canadians, 1800-1867: The Roots of Separatism*, Montreal, Harvest House, 1968, XIII-145p.

ANGERS, F. A., *Pour orienter nos libertés*, Montreal, Fides, 1969, 280p.

ANGERS, P., *L'Enseignement et la société d'aujourd'hui*, Montreal, Éd. Sainte-Marie, 1961, 46p.

ANGERS, P., *Problème de culture au Canada français*, Montreal, Beauchemin, 1959, 105p.

ANGERS, P., *Réflexions sur l'enseignement*, Montreal, Éd. Bellarmin, 1963, 204p.

ARÈS, R., *Faut-il garder au Québec l'école confessionnelle?*, Montreal, Éd. Bellarmin, 1970, 67p.

AUDET, L. P., *Bilan de la réforme scolaire au Québec, 1959-1969*, Montreal, Les Presses de l'Université de Montréal, 1969, 70p.

AUDET, L. P., *Histoire du Conseil de l'Instruction publique*, Montreal, Leméac, 1964, XIX-346p.

AUDET, L. P., *Le système scolaire de la Province de Québec*, Quebec City, Éd. de l'Arbre, 1950-1956, 6 vol.

AUDET, L. P. & GAUTHIER, A., *Le système scolaire du Québec: organisation et fonctionnement*, Montreal, Beauchemin, 1969, XVI-286p.

BAUDOUIN, L. (ed.), *La Recherche au Canada français*, Montreal, Les Presses de l'Université de Montréal, 1968, 164p.

BELANGER, P., GAGNER, L. & PAQUET, P., *Analyse des tendances de la recherche en éducation des adultes au Canada français, 1960-1969*, Montreal, Institut canadien d'éducation des adultes, 1971, 317p.

BELANGER, P. & ROCHER, Y. (eds.), *École et société au Québec: éléments d'une sociologie de l'éducation*, Montreal, HMH, 1970, 465p.

BIZIER, J., *L'Éducation chrétienne et le rapport Parent*, Montreal, Fides, 1969, 229p.

BLAIN, M., *Approximations*, Montreal, HMH, 1967, 246p.

BONENFANT, F. (ed.), *Cri d'alarme . . . La civilisation scientifique et les Canadiens français*, Quebec City, Les Presses de l'Université Laval, 1963, 142p.

CENDREAU, B., *Le système scolaire du Québec*, Montreal, Éd. France-Québec, 1967, 271p.

CHALVIN, S. & CHALVIN, M., *Comment on abrutit nos enfants: la bêtise en 23 manuels scolaires*, Montreal, Éd. du Jour, 1962, 139p.

COSTISELLA, J., *Le scandale des écoles séparées en Ontario*, Montreal, Éd. de l'Homme, 1962, 124p.

DESBIENS, J.-P., *Les Insolences du frère Untel*, Montreal, Éd. de l'Homme, 1960, 154p. [*The Impertinences of Brother Anonymous*, Montreal, Harvest House, 1962, 126p.]

DESBIENS, J.-P., *Sous le soleil de la pitié*, Montreal, Éd. du Jour, 1965, 122p.

DESJARDINS, G., *Les écoles du Québec*, Montreal, Éd. Bellarmin, 1950, 128p.

DESY, J., *Les sentiers de la culture*, Montreal, Fides, 1954, 224p.

DION, L., *Le Bill 60 et le public*, Montreal, Institut canadien d'éducation des adultes, 1966, 127p.

DION, L., *Le Bill 60 et la Société Québécoise*, Montreal, HMH, 1967, 197p.

DIONNE, P., *Une analyse historique de la Corporation des enseignants du Québec (1836-1968)*, Quebec City, Faculté des sciences sociales de l'Université Laval, 1969, VII-259p.

DROLET, A., *Les bibliothèques canadiennes, 1604-1960*, Montreal, Cercle du Livre de France, 1965, 234p.

DUMONT, F. & MONTMINY, J.-P. (eds.), *Le pouvoir dans la société canadienne-française*, Quebec City, Les Presses de l'Université Laval, 1965, 252p.

ÉTATS GÉNÉRAUX DU CANADA FRANÇAIS, *Assises nationales*, Montreal, Action nationale, 1969, 646p.

FALARDEAU, J. C. (ed.), *Essais sur le Québec contemporain/Essays on Contemporary Quebec*, Quebec City, Les Presses de l'Université Laval, 1953, 260p.

FALARDEAU, J. C., *L'Essor des sciences sociales au Canada français*, Quebec City, Ministère des affaires culturelles, 1964, 68p.

FÉDÉRATION LIBÉRALE DU QUÉBEC, *Pour une politique québécoise*, Montreal, Éd. du Jour, 1967, 211p.

FILION, G., *Les Confidences d'un commissaire d'écoles*, Montreal, Éd. de l'Homme, 1960, 125p.

GAGNON, G. & GOUSSE C., *Le processus de régionalisation scolaire dans l'est du Québec*, Quebec City, Bureau d'aménagement de l'est du Québec, 1965, IV-204p.

GAGNON, O., *Cultural Developments in the Province of Quebec*, Toronto, University of Toronto Press, 1952, 21p.

GÉRIN-LAJOIE, P., *Pourquoi le Bill 60?*, Montreal, Éd. du Jour, 1963, 142p.

GRENON, H., *Chroniques vécues*, Montreal, Éd. de l'Homme, 1966, 494p.

GROULX, L., *L'Enseignement français au Canada*, Montreal, Granger, 1931, 2 vol.

GROULX, L., *Chemins de l'avenir*, Montreal, Fides, 1964, 161p.

GROULX, L., *Directives*, Saint-Hyacinthe, Éd. Alerte, 1959, 260p.

HURTUBISE, R. & ROWAT, D. C., *Studies on the University, Society and Government/Études sur l'université, la société et le gouvernement*, Ottawa, University of Ottawa Press, 1970, 2 vol.

KATTAN, N., *L'Immigrant de langue française et son intégration au Québec, Écrits du Canada français*, No 25, pp. 173-247.

LAMARCHE, S., *L'Université du Québec*, Montreal, Lidec, 1969, 174p.

LAMONTAGNE, L., (ed.), *Le Canada français d'aujourd'hui*, Quebec City, Les Presses de l'Université Laval, 1970, VIII-161p.

LAPLANTE, A., *Les Associations parents-maîtres*, Montreal, Fides, 1964, 134p.

LARIVIÈRE, J.-J., *Nos collégiens ont-ils encore la foi?*, Montreal, Fides, 1965, 211p.

LAURENDEAU, A., *Ces choses qui nous arrivent*, Montreal, HMH, 1970, XXI-343p.

LAZURE, J., *La jeunesse du Québec en révolution*, Quebec City, Les Presses de l'Université du Québec, 1970, 141p.

LEBEL, M., *Éducation et humanisme*, Sherbrooke, Éd. Paulines, 1966, 480p.

LEBEL, M. (ed.), *Les humanités classiques au Québec*, Quebec City, Éd. de l'Acropole et du Forum, 1967, 152p.

LEBEL, M., SAVARD, P. & VEZINA, R., *Aspects de l'enseignement au Petit Séminaire de Québec (1765-1945)*, Quebec City, La Société historique de Québec, 1968, 221p.

LEFEBVRE, J.-P., *Les adultes à l'école*, Montreal, Éd. du Jour, 1966, 128p.

LÉVESQUE, A., *Les mensonges du Bill 60*, Verchères, A. Lévesque, 1963, 96p.

LUSSIER, I., *L'Éducation catholique et le Canada français/Roman Catholic Education and French Canada*, Toronto, Gage, 1960, 82p.

MACKAY, J. (ed.), *L'École laïque*, Montreal, Éd. du Jour, 1961, 125p.

MAGNUSON, R., *Education in the Province of Quebec*, Washington, United States Government Printer Office, 1969, IX-81p.

MICHAUD, P., *Mon p'tit Frère*, Quebec City, Institut littéraire du Québec, 1960, 158p.

MOREL, A. (ed.), *Justice et paix scolaire*, Montreal, Éd. du Jour, 1962, 173p.

NAUD, A., *Le rapport Parent et l'humanisme nouveau*, Montreal, Fides, 1965, 83p.

NEVERS, E. de, *L'Avenir du peuple canadien-français*, Paris, H. Jouve, 1896, 441p. [New edition: Montréal, Fides, 1964.]

PARENTEAU, H.-A., *Les Robes noires dans l'école*, Montreal, Éd. du Jour, 1962, 170p.

PHILLIPS, C. E., *The Development of Education in Canada*, Toronto, Gage, 1957, XIII-636p.

PORTER, F., *Perspectives pédagogiques au Canada français*, Montreal, Éd. Fransciscaines, 1954, 47p.

RIVERIN, A., *L'Université et le développement socio-économique*, Montreal, Publications Les Affaires, 1971, 162p.

RONDEAU, C. H., *Pour une éducation de qualité au Québec*, Montreal, Presses libres, 1971, 70p.

ROY, P. C., *Les intellectuels dans la cité*, Montreal, Fides, 1963, 85p.

RUMILLY, R., *Histoire de la province de Québec*, Montreal, Fides, 1941-1969, 41 vol.

RUMILLY, R., *Histoire de l'École des hautes études commerciales de Montréal 1907-1967*, Montreal, Beauchemin, 1967, 214p.

SAVARD, M., *Paradoxes... et réalités de notre enseignement secondaire*, Montreal, Centre de Psychologie et de Pédagogie, 1963, 144p.

SEGAL, M. D., *The Political Economy of Resource Distribution in Quebec Universities*, Montreal, Conference of Rectors and Principals of Quebec Universities, 1970, VI-431p.

SIMARD, J., *Nouveau répertoire*, Montreal, HMH, 1965, 419p.

SIMARD, J., *Répertoire*, Montreal, Cercle du Livre de France, 1961, 319p.

SISSONS, C. B., *Church and State in Canadian Education: An Historical Study*, Toronto, Ryerson Press, 1959, X-414p.

SOCIÉTÉ ROYALE DU CANADA, *Aux Sources du présent/The Roots of the Present*, Toronto, University of Toronto Press, 1960, X-111p.

SYLVESTRE, G. (ed.), *Structures sociales du Canada français*, Quebec City and Toronto, Les Presses de l'Université Laval and University of Toronto Press, 1966, 120p.

TREMBLAY, E., *Bibliothèques et formation des enseignants au Québec*, Montreal, Éd. R. Genest, 1971, 114p.

TREMBLAY, E., *Bibliothèques publiques et éducation permanente au Québec*, Montreal, Éd. R. Genest, 1971, 64p.

TREMBLAY, J. *Scandale au D.I.P.*, Montreal, HMH, 1969, 286p.

VADEBONCOEUR, P., *La ligne du risque*, Montreal, HMH, 1969, 286p.

WILSON, E., *O Canada: An American's Notes on Canadian Culture*, New York, Farrar, Straus and Giroux, 1965, 245p.

WILSON, J. D., STAMP, R. M. & AUDET, L. Ph. (eds.), *Canadian Education: A History*, Scarborough, Prentice-Hall, 1970, XIV-528p.

Periodicals

Cité Libre
Culture
Liberté
Maintenant
Revue de l'enseignement secondaire
Recherches sociographiques
Relations
Revue d'histoire de l'Amérique française

See also:

Arts and Folklore
Culture

9. FEDERALISM

Bibliography:

NISH, C., "Bibliographie sommaire sur la Confédération," *L'Action nationale*, vol. 54, No 2, October 1964, pp. 198-207.

Studies:

Cent ans d'histoire (1867-1967), Revue d'histoire de l'Amérique française, Vol. XXI, No 3a.

Esquisses du Canada français, Montreal, Fides, 1967, 450p. [*Facets of French Canada*, Montreal, Fides, 1967, 450p.]

Fédéralisme et nations, Montreal, Les Presses de l'Université du Québec, 1971, 290p.

Le Canada, expérience ratée . . . ou réussie?/The Canadian Experiment, Success or Failure?, Quebec City, Les Presses de l'Université Laval, 1962, 180p.

La Planification économique dans un État fédératif, Quebec City, Les Presses de l'Université Laval, 1965, 68p.

Le Fédéralisme, l'Acte de l'Amérique du Nord britannique et les Canadiens français, Montreal, Éd. de l'Agence Duvernay, 1964, 125p.

Le Québec dans le Canada de demain, Montreal, Éd. du Jour, 1967, 2 vol.

Quebec: Year Eight, Toronto, CBC Publications, 1968, VI-127p.

La dualité canadienne à l'heure des États-Unis, Quebec City, Les Presses de l'Université Laval, 1965, 132p.

Rapport de la Commission royale d'enquête des relations entre le Dominion et les provinces, Ottawa, Imprimeur du Roi, 1940, 3 vol. [*Report of the Royal Commission on Dominion-Provincial Relations*, Ottawa, King's Printer, 1940, 3 vol.] [*The Rowell-Sirois report; an abridgement of Book I of the Royal Commission Report on Dominion-Provincial Relations*, edited and introduced by Donald V. Smiley, Toronto, McClelland and Stewart, 1963, 228p.]

Report of the Royal Commission on Canada's Economic Prospects, Ottawa, Queen's Printer, 1958, 509p.

Rapport de la Commission royale d'enquête sur les problèmes constitutionnels, Quebec City, Imprimeur de la Reine, 1956, 5 vol. [Also entitled: *Rapport Tremblay.*]

Report of the Royal Commission on Taxation, Ottawa, Queen's Printer, 1966, 6 vol.

The Face of Canada, Toronto, Clarke Irwin, 1959, X-229p.

Reflexions sur la politique au Québec, Montreal, Éd. Sainte-Marie, 1968, 106p.

ANGERS, F.-A., *Essai sur la centralisation*, Montreal, Beauchemin, 1960, 331p.

ARÈS, R., *Dossier sur le pacte fédératif de 1867; la Confédération, pacte ou loi?*, Montreal, Bellarmin, 1967, 294p.

ARÈS, R., *Nos grandes options politiques et constitutionnelles*, Montreal, Bellarmin, 1972, 243p.

AUBERT de la RUE, Ph., *Canada incertain: un pays à la recherche de son identité*, Paris, Éd. du Scorpion, 1964, 217p.

BELLAVANCE, M. & GILBERT, M., *L'opinion publique et la crise d'octobre*, Montreal, Éd. du Jour, 1971, 183p.

BIRCH, A. H., *Federalism, Finance and Social Legislation in Canada, Australia, and the United States*, Oxford, Clarendon Press, 1955, XIV-314p.

BISSONNETTE, R., *Essai sur la constitution du Canada*, Montreal, Éd. du Jour, 1963, 199p.

BOISSONNAULT, C.-M., *Histoire politique de la province de Québec*, Quebec City, Éd. Frontenac, 1936, 373p.

BONENFANT, J.-C., *La naissance de la Confédération*, Montreal, Leméac, 1969, 155p.

BONENFANT, J.-C., *Les Institutions politiques canadiennes*, Quebec City, Les Presses de l'Université Laval, 1954, 202p.

BOWIE, R. S. & FRIEDRICH, C. J. (eds.), *Studies in Federalism*, Toronto, Little, Brown, 1954, XIII-887p.

BRADY, A., *Democracy in the Dominions: A Comparative Study in Institutions*, Toronto, University of Toronto Press, 1958, 614p.

BRICHANT, A. A., *Option Canada*, Montreal, Comité Canada, 1968, XVI-54p.

BROSSARD, J., *La Cour Suprême et la Constitution*, Montreal, Les Presses de l'Université de Montréal, 1968, 427p.

BROSSARD, J., *L'Immigration: les droits et pouvoirs du Canada et du Québec*, Montreal, Les Presses de l'Université de Montréal, 1967, 208p.

BRUNET, M., *Canadians et Canadiens*, Montreal, Fides, 1954, 173p.

BRUNET, M., *La présence anglaise et les Canadiens*, Montreal, Fides, 1964, 292p.

BURNS, R. M. (ed.), *One Country or Two?*, Montreal, McGill-Queen's University Press, 1971, VIII-287p.

CAMERON, E. R., *The Canadian Constitution, as Interpreted by the Judicial Committee Privy Council in its Judgments*, Winnipeg, Butterworth, 1915-1930, 2 vol.

CLARK, R. M. (ed.), *Canadian Issues*, Toronto, University of Toronto Press, 1961, XX-371p.

CAOUETTE, R., *Réal Caouette vous parle*, Montreal, Éd. du Caroussel [*sic*], 1962, 96p.

CHAMBRE DE COMMERCE DE LA PROVINCE DE QUÉBEC, *Le coût de l'indépendance: une étude sur les conséquences économiques des options constitutionnelles*, Montreal, Éd. du Jour, 1969, 125p.

CLOKIE, H. M., *Canadian Government and Politics*, Toronto, Longman, 1950, XIII-370p.

COHEN, M. A., *The Dominion-Provincial Conference; Some Basic Issues*, Toronto, Ryerson Press, 1945, 139p.

COHEN, M. A., *Constitutional Issues in Canada, 1900-1931*, London, Oxford University Press, 1933, XVI-482p.

COHEN, R. I., *Quebec Votes: The How and Why of Quebec in Every Federal Election Since Confederation*, Montreal, Saje Publications, 1965, 128p.

CONSEIL DE LA VIE FRANÇAISE EN AMÉRIQUE, *French-Canadian Representation in the Canadian Senate*, Quebec City, Éd. Ferland, 1966, 27p.

COOK, R., *Canada and the French-Canadian Question*, Toronto, Macmillan, 1966, 219p.

COOK, R. (ed.), *Confederation*, Toronto, University of Toronto Press, 1967, 128p.

COSTISELLA, J., *The Scandal of Canadian Racism – Quebec: a Ghetto for French Canadians*, Ottawa, Comité canadien-français de vigilance, 1963, 124p.

COURTNEY, J. C., *Voting in Canada*, Scarborough, Prentice-Hall, 1967, 210p.

CORNELL, P. G., HAMELIN, J., OUELLET, F. & TRUDEL, M., *Canada, unité et diversité*, Montreal, Holt, Rinehart et Winston, 1968, 578p.

CREIGHTON, D., *The Road to Confederation*, Toronto, Macmillan, 1964, XII-489p.

CREPEAU, P. A. & MACPHERSON, C. B. (eds.), *The Future of Canadian Federalism/L'Avenir du fédéralisme canadien*, Toronto, University of Toronto Press, 1965, X-188p.

DAWSON, R. M., *The Government of Canada*, Toronto, University of Toronto Press, 1963, 610p.

DEHEM, R., *Planification économique et fédéralisme*, Quebec City, Les Presses de l'Université Laval, 1968, 201p.

DRIEDGER, A. E., *Codification des Actes de l'Amérique du Nord britannique (1867-1952)*, Ottawa, Imprimeur de la Reine, 1962, 50p.

EGGLESTON, W., *The Road to Nationhood, a Chronicle of Dominion-Provincial Relations*, Toronto, Oxford University Press, 1946, XV-337p.

FARIBAULT, M. & FOWLER, R. M., *Dix pour un–Le pari confédératif*, Montreal, Les Presses de l'Université de Montréal, 1965, 165p. [*Ten to One: The Confederation Wager*, Toronto, McClelland and Stewart, 1965, 150p.]

FARIBAULT, M., *La révision constitutionnelle*, Montreal, Fides, 1970, 223p.

FONTAINE, M.-B., *Une femme face à la Confédération*, Montreal, Éd. de l'Homme, 1965, 156p.

FOX, P. (ed.), *Politics: Recent Readings*, Toronto, McGraw-Hill, 1962, 344p.

GAUTHIER, F., *Centralisation ou décentralisation – Les contraintes de la politique économique*, Montreal, Bellarmin, 1967, 94p.

GÉRIN-LAJOIE, P., *Constitutional Amendment in Canada*, Toronto, University of Toronto Press, 1950, XLIII-340p.

GIROUX, M., *La pyramide de Babel*, Montreal, Éd. Sainte-Marie, 1967, 142p.

GORDON, W. L., *Troubled Canada: The Need for New Domestic Policies*, Toronto, McClelland and Stewart, 1961, X-134p.

GOTLIEB, A. E. (ed.), *Human Rights, Federalism, and Minorities*, Toronto, Canadian Institute of International Affairs, 1970, X-268p.

GRANT, G. P., *Lament for a Nation: The Defeat of Canadian Nationalism*, Toronto, McClelland and Stewart, 1965, 97p.

GROULX, L., *La Confédération canadienne*, Montreal, Le Devoir, 1918, 265p.

GROULX, L., *L'Indépendance du Canada*, Montreal, Action nationale, 1949, 175p.

GROULX, L., *Les Canadiens français et la Confédération*, Montreal, L'Action française, 1927, 142p.

GROULX, L., *Nos luttes constitutionnelles*, Montreal, Le Devoir, 1916, 102p.

GROULX, L., *Notre maître, le passé*, Montreal, Granger, 1924-1944, 3 vol.

HAMELIN, J., LETARTE, J. & HAMELIN, M., *Les élections dans la province de Québec*, Quebec City, Les Presses de l'Université Laval, 1960, 230p.

HOPKINS, E. R., *Confederation at the Crossroads*, Toronto, McClelland & Stewart, 1968, 423p.

JOHNSON, D., *Égalité ou indépendance*, Montreal, Éd. de l'Homme, 1968, 125p. (new edition)

JULIEN, C., *Le Canada: dernière chance de l'Europe*, Paris, Grasset, 1965, 294p. [*Canada: Europe's Last Chance*, Toronto, Macmillan, 1968, XIII-178p.]

KIERANS, E., *Le Canada vu par Kierans*, Montreal, Éd. du Jour, 1967, 158p.

KRUHLAK, O. M. (ed.), *The Canadian Political Process*, Toronto, Holt, Rinehart and Winston, 1970, VII-523p.

LAMONTAGNE, M., *Le Fédéralisme canadien: évolution et problèmes*, Quebec City, Les Presses de l'Université Laval, 1954, 298p.

LAURENDEAU, A., *Ces choses qui nous arrivent*, Montreal, HMH, 1970, XXI-343p.

LEDERMAN, W. R. (ed.), *The Courts and the Canadian Constitution*, Toronto, McClelland and Stewart, 1964, 248p.

LEFEBVRE, J.-P., *Réflexions d'un citoyen I. Sur l'avenir du Québec; II. Sur quelques aspects de l'expérience suédoise*, Montreal, Éd. du Jour, 1968, 120p.

LEMIEUX, V. (ed.), *Quatre élections provinciales au Québec, 1956-1966*, Quebec City, Les Presses de l'Université Laval, 1969, 246p.

LESAGE, J., *Lesage s'engage: libéralisme québécois d'aujourd'hui, jalon de doctrine*, Montreal, Éd. politiques du Québec, 1959, 123p.

LIVINGSTON, W. S., *Federalism and Constitutional Change*, Oxford, Clarendon Press, 1956, X-380p.

LOWER, A. R. M., *Evolving Canadian Federalism*, Durham, Duke University Press, 1958, 187p.

MARTIN, C., *Foundations of Canadian Nationhood*, Toronto, University of Toronto Press, 1955, XX-554p.

MASSEY, V., *Confederation on the March: Views on Major Canadian Issues during the Sixties*, Toronto, Macmillan, 1965, 101p.

MASSEY, V., *Speaking of Canada*, Toronto, Macmillan, 1959, X-244p.

MAXWELL, J. A., *Federal Subsidies to the Provincial Governments in Canada*, Cambridge, Harvard University Press, 1937, XI-284p.

McWHINNEY, E., *Comparative Federalism: States' Rights and National Power*, Toronto, University of Toronto Press, 1962, IX-103p.

MEEKISON, J. P., *Canadian Federalism: Myth or Reality*, Toronto, Methuen, 1968, XV-432p.

MORTON, W. L., *The Canadian Identity*, Toronto, University of Toronto Press, 1961, X-126p.

NEWMAN, P., *The Distemper of Our Times: Canadian Politics in Transition, 1963-1968*, Toronto, McClelland and Stewart, 1968, XIII-558p.

NEWMAN, P. C., *A Nation Divided: Canada and the Coming of Pierre Trudeau*, New York, A. A. Knopf, 1969, XV-469p.

O'HEARN, P. J. T., *Peace, Order and Good Government: A New Constitution for Canada*, Toronto, Macmillan, 1964, 325p.

OLIVER, M. K. (ed.), *Social Purpose for Canada*, Toronto, University of Toronto Press, 1961, XII-472p.

OLLIVER, M., *L'Avenir constitutionnel du Canada*, Montreal, A. Lévesque, 1935, 181p.

PATRY, A., BROSSARD, J. & WEISER, E., *Les pouvoirs extérieurs du Québec*, Montreal, Les Presses de l'Université de Montréal, 1967, 463p.

PELLERIN, J., *Le Canada ou l'eternel commencement*, Paris, Casterman, 1967, 226p.

PENLINGTON, N. (ed.), *On Canada*, Toronto, University of Toronto Press, 1971, XVII-196p.

PEPIN, G., *Les tribunaux administratifs et la Constitution: Étude des Articles 96 à 101 de l'A.A.N.B.*, Montreal, Les Presses de l'Université de Montréal, 1969, XVIII-422p.

ROY, J. L., *Les programmes électoraux du Québec: un siècle de programmes politiques québécois*, Montreal, Leméac, 1970, 2 vol.

RUMILLY, R., *Le problème national des Canadiens français*, Montreal, Fides, 1961, 146p.

RUMILLY, R., *L'Autonomie provinciale*, Montreal, Éd. de l'Arbre, 1948, 302p.

SABOURIN, L., *Le système politique du Canada: institutions fédérales et québécoises*, Ottawa, Éd. de l'Université d'Ottawa, 1968, XI-507p.

SCARROW, H. A., *Canada Votes: A Handbook of Federal and Provincial Election Data*, New Orleans, Hauser Press, 1962, X-238p.

SHEFFE, N. (ed.), *Canadian/Canadien*, Toronto and Montreal, Ryerson Educational Division, McGraw-Hill, 1971, VI-121p.

SMILEY, D. V., *The Canadian Political Nationality*, Toronto, Methuen, 1967, XV-142p.

SYLVESTRE, G. (ed.), *Structures sociales du Canada français*, Quebec City and Toronto, Les Presses de l'Université Laval and University of Toronto Press, 1966, 120p.

TREMBLAY, A., *Les compétences législatives au Canada et les pouvoirs provinciaux en matière de propriété et de droits civils*, Ottawa, Éd. de l'Université d'Ottawa, 1967, 350p.

TROTTER, R. G., *Canadian Federation: Its Origin and Achievement – A Study in Nation Building*, London, Dent, 1924, XIV-348p.

TRUDEAU, P. E., *Approaches to Politics*, Toronto, Oxford University Press, 1970, 89p.

TRUDEAU, P. E., *Le Fédéralisme et la société canadienne-française*, Montreal, HMH, 1967, 230p. [*Federalism and the French Canadians*, Toronto, Macmillan, 1968, XXVI-212p:]

TRUDEAU, P. E., *Réponses de P. E. Trudeau*, Montreal, Éd. du Jour, 1968, 127p.

TURNER, J., *Politics of Purpose*, Toronto, McClelland and Stewart, 1968, XIX-216p.

UNDERHILL, F. H., *In Search of Canadian Liberalism*, Toronto, Macmillan, 1960, 282p.

UNDERHILL, F. H., *The Image of Confederation*, Toronto, CBC, 1964, 84p.

VAUGHAN, F., KYBA, P. & DWIVEDI, O. P. (eds.), *Contemporary Issues in Canadian Politics*, Scarborough, Prentice-Hall, 1970, IX-286p.

VEILLEUX, Y., *Les relations intergouvernementales au Canada, 1867-1967; les mécanismes de coopération*, Montreal, Les Presses de l'Université du Québec, 1971, 142p.

WAITE, P. B., *The Life and Times of Confederation 1864-1867*, Toronto, University of Toronto Press, 1962, 379p.

Periodicals:

Actualité économique
Action nationale
Bulletin des recherches historiques
Cahiers des Dix
Cahiers de l'institut d'histoire (de l'Université Laval)
Canadian Historical Review (The)
Cité libre
Culture
Journal of Canadian Studies/Revue d'études canadiennes
Liberté

Maintenant
Recherches sociographiques
Relations
Revue d'histoire de l'Amérique française
Socialisme

See also:

Biculturalism and Bilingualism
Economy, Industry, and Agriculture
French Canada and French Canadians

10. F.L.Q. [FRONT DE LIBÉRATION DU QUÉBEC]: THE OCTOBER CRISIS

Studies

BELLAVANCE, M. & GILBERT, M., *L'Opinion publique et la crise d'octobre*, Montreal, Éd. du Jour, 1971, 183p.

BERGERON, L., *Petit manuel d'histoire du Québec*, Montreal, Éd. québécoises, 1970, 207p.

BERQUE, J., *Les Québécois*, Paris, Maspero, 1967.

CHAPUT-ROLLAND, S., *Les heures sauvages*, Montreal, Le Cercle du Livre de France, 1972, 190p.

DUMONT, F., *La Vigile du Québec*, Montreal, Éd. Hurtubise, 1971, 234p.

HAGGART, R. & GOLDEN, A. E., *Rumours of War*, Toronto, New Press, 1971, 311p.

LACOURSIÈRE, J., *Alarme, citoyens!*, Montreal, Éd. La Presse, 1972, 438p.

LAURENDEAU, A., *Ces choses qui nous arrivent*, Montreal, HMH, 1970, XXI-343p.

LAZURE, J., *La jeunesse du Québec en révolution*, Quebec City, Les Presses de l'Université du Québec, 1970, 141p.

MOORE, B., *The Revolution Script*, Toronto, McClelland and Stewart, 1971, 190p.

MORF, G., *Terror in Quebec: Case Studies of the FLQ*, Toronto, Clarke Irwin, 1970, 185p.

PELLETIER, G., *La crise d'octobre*, Montreal, Éd. du Jour, 1971, 265p. [*The October Crisis*, Toronto, McClelland and Stewart, 1971, 247p.]

RADWANSKI, Y. & WINDEYER, K., *No Mandate but Terror*, Richmond Hill, Simon & Schuster, 1971, 128p.

ROTSTEIN, A. (ed.), *Power Corrupted: The October Crisis and Repression of Quebec*, Toronto, New Press, 1971, 127p.

RYAN, C. (ed.), *Le Devoir et la crise d'octobre, 1970*, Montreal, Leméac, 1971, 285p.

SAVOIE, C., *La véritable histoire du F.L.Q.*, Montreal, Éd. du Jour, 1963, 120p.

SAYWELL, J., *Quebec 70*, Toronto, University of Toronto Press, 1971, 152p.

SMITH, B., *Les résistants du F.L.Q.*, Montreal, Éd. Actualité, 1963, 62p.

SMITH, D., *Bleeding Hearts... Bleeding Country: Canada and the Quebec Crisis*, Edmonton, M. G. Hurtig, 1971, 177p.

STEWART, J., *The F.L.Q.: Seven Years of Terrorism*, Montreal, Montreal Star and Simon & Schuster, 1970, 84p.

TRAIT, J. C., *F.L.Q. 70: Offensive d'automne*, Montreal, Éd. de l'Homme, 1970, 230p.

VALLIÈRES, P., *Nègres blancs d'Amérique*, Montreal, Parti Pris, and Paris, Maspero, 1969, 290p. [*White Niggers of America*, Toronto, McClelland and Stewart, 1971, 281p.]

Periodicals

Cité Libre
Liberté
Maintenant
Parti Pris
Révolution québécoise

11. FRENCH CANADA AND FRENCH CANADIANS*

Cent ans d'histoire (1867-1967), Revue d'Histoire de l'Amérique française, vol. XXI, No 3a.

Colloque sur le Canada français, Montreal, Montreal Star, 1963, 151p. [*Seminar on French Canada*, Montreal, Montreal Star, 1963, 140p.]

Esquisses du Canada français, Montreal, Fides, 1967, 450p [*Facets of French Canada*, Montreal, Fides, 1967, 450p.]

* We are referring here mainly to French-speaking Canadians who are living outside the province of Quebec. In order to be more precise, the Acadian people and its history should be listed in a separate section. However, this would take us beyond our immediate topic. Suffice it to mention: CORRIVAULT, B., *Bibliographie analytique de l'histoire d'Acadie*, Church Point, 1950, 60p.; ARSENAULT, B., *L'Acadie des ancêtres*, Quebec City, Le Conseil de la vie française en Amérique, 1955, 398p.; RUMILLY, R., *Histoire des Acadiens*, Montreal, Fides, 1955, 2 vol.

La famille canadienne-française et la consommation/The French-Canadian Family as a Consumer Unit, Montreal, Éd. de la Table Ronde, 1971, 79p. (Bilingual text).

Le Canada au seuil du siècle de l'abondance, Montreal, HMH, 1969, 376p.

Le Canada français aujourd'hui et demain, Paris, Fayard, 1961, 197p.

Le Fédéralisme, l'Acte de l'Amérique du Nord britannique et les Canadiens français, Montreal, Éd. Duvernay, 1964, 69p.

Le Québec dans le Canada de demain, Montreal, Éd. du Jour, 1967, 2 vol.

Rapport de la Commission royale d'enquête sur le bilinguisme et le biculturalisme, Ottawa, Imprimeur de la Reine, 1967-1969, 4 vol. [*Report of the Royal Commission on Bilingualism and Biculturalism*, Ottawa, Queen's Printer, 1965-1969, 4 vol.] [10 vol. were to be published, but it has been decided that only 4 would appear].

ACELF, *Le Canada français en marche*, Quebec City, Éd. de l'ACELF, 1968, 316p.

ARÈS, R., *Dossier sur le pacte fédératif de 1867. La Confédération: Pacte ou loi?*, Montreal, Éd. Bellarmin, 1967, 294p.

BERGERON, G., *Le Canada français après deux siècles de patience*, Paris, Éd. du Seuil, 1967, 288p.

BLANCHARD, R., *Le Canada français*, Montreal, Fayard, 1960, 314p. (dealing almost exclusively with the Province of Quebec).

BOEHM, D. A., *French Canada in Pictures*, New York, Sterling Pub., 1970, 64p.

BROSSARD, J., *L'immigration: Les droits et les pouvoirs du Canada et du Québec*, Montreal, Les Presses de l'Université de Montréal, 1967, 208p.

CARRIER, H., *Évolution de l'Église au Canada français*, Montreal, Éd. Bellarmin, 1968, 78p.

CHIASSON, R. J., *Bilingualism in the Schools of Eastern Nova Scotia*, Quebec City, Éd. Ferland, 1962, 250p.

CONSEIL DE LA VIE FRANÇAISE EN AMÉRIQUE, *French-Canadian Representation in the Canadian Senate*, Quebec City, Éd. Ferland, 1965, 62p.

CONSEIL DE LA VIE FRANÇAISE EN AMÉRIQUE, *L'Avenir du peuple canadien-français*, Quebec City, Éd. Ferland, 1965, 62p.

COOK, R., *Canada and the French-Canadian Question*, Toronto, Macmillan, 1966, 219p.

COSTISELLA, J., *The Scandal of Canadian Racism – Quebec: A Ghetto for French Canadians*, Ottawa, Comité canadien-français de vigilance, 1963, 124p.

DUMONT, F., MONTMINY, J. P. & HAMELIN, J. (eds.), *Idéologies au Canada français*, Quebec City, Les Presses de l'Université Laval, 1971, IX-327p.

DUSSAULT, R., *Le contrôle judiciaire de l'administration au Québec*, Quebec City, Les Presses de l'Université Laval, 1969, XXV-487p.

ÉTATS GÉNÉRAUX DU CANADA FRANÇAIS *Assises nationales*, Montreal, Action nationale, 1969, 646p.

FRÉMONT, D., *Le français dans l'Ouest canadien*, Winnipeg, Éd. de la liberté, 1959, 162p.

GAILLARD DE CHAMPRIS, H., *Images du Canada français*, Paris, Éd. de Flore, 1947, 286p.

GOTLIEB, A. E. (ed.), *Human Rights, Federalism, and Minorities*, Toronto, Canadian Institute of International Affairs, 1970, X-268p.

GROULX, L., *Directives*, Saint-Hyacinthe, Éd. Alerte, 1959, 260p.

HAMELIN, J., *Le Canada français: son évolution historique, 1497-1967*, Trois-Rivières, Éd. Le Boréal Express, 1967, 64p.

HAVEL, J.-E. *Les citoyens de Sudbury et la politique*, Sudbury, Éd. de l'Université Laurentienne, 1966, 103p.

LAMONTAGNE, L. (ed.), *Le Canada français d'aujourd'hui*, Quebec City, Les Presses de l'Université Laval, 1970, VIII-161p.

LAMONTAGNE, L. (ed.), *Visages de la civilisation au Canada français*, Quebec City, Les Presses de l'Université Laval, 1970, VIII-130p.

LANDRY, L., . . . et l'assimilation, pourquoi pas?, Montreal, Presses libres, 1969, 126p.

LANDRY, L. *Québec français ou Québec québécois?*, Montreal, Presses libres, 1972, 179p.

LANGLOIS, G., *Histoire de la population canadienne-française*, Montreal, A. Lévesque, 1934, 309p.

LESSARD, M.-A. & MONTMINY, J.-P., *L'Urbanisation de la société canadienne-française*, Quebec City, Les Presses de l'Université Laval, 1968, 211p.

LÉVESQUE, A., *La nation canadienne-française*, Montreal, Lévesque, 1934, 172p.

LUSSIER, I., *L'Éducation catholique et le Canada français/Roman Catholic Education and French Canada*, Toronto, Gage, 1960, 82p.

MAHEU, R., *Les francophones du Canada, 1941-1991*, Montreal, Éd. Parti Pris, 1970, 119p.

MÉLÈSE, P., *Canada, deux peuples, une nation*, Paris, Hachette, 1959, 366p.

MORIN, R., *L'Immigration au Canada*, Montreal, L'Action nationale, 1966, 118p.

MORTON, W. L., *The Canadian Identity*, Toronto, University of Toronto Press, 1961, X-126p.

PORTER, J., *The Vertical Mosaic*, Toronto, University of Toronto Press, 1965, XXII-626p.

RIOUX, M. & MARTIN, Y. (eds.), *French Canadian Society*, Toronto, McClelland and Stewart, 1964, 405p.

RUMILLY, R., *Le problème national des Canadiens français*, Montreal, Fides, 1961, 146p.

RYERSON, S. B., *French Canada: A Study in Canadian Democracy*, Toronto, Progress Books, 1944, 237p.

SIEGFRIED, A., *The Race Question in Canada*, Toronto, McClelland and Stewart, 1966, 252p. [Although this book was originally published in 1906 as *Le Canada, les deux races: problèmes politiques contemporains*, and translated in 1907, it is still very useful.]

SYLVESTRE, G. (ed.), *Structures sociales du Canada français*, Quebec City and Toronto, Les Presses de l'Université Laval and University of Toronto Press, 1966, 120p.

TESIOROWSKI, J., *Canadiens français, puissance du nombre: étude statistique sur le bilinguisme*, Montreal, Beauchemin, 1966, 50p.

TOMKINS, D. M., *Quebec: French-Canadian Homeland*, Toronto, Gage, 1970, 40p.

WADE, M. (ed.), *French Canadian Outlook*, New York, The Viking Press, 1946, 192p.

WADE, M., *The French Canadians*, Toronto, Macmillan, 1970 (new edition), 2 vol.

See also:

Biculturalism and Bilingualism
Culture
Economy, Industry, and Agriculture
Federalism
French Language in Canada
History
Literature
Nationalism
Religion

12. FRENCH LANGUAGE IN CANADA

Bibliography:

DULONG, G., *Bibliographie linguistique du Canada français*, Quebec City, Les Presses de l'Université Laval, 1966, XXXII-166p.

Studies:

Le Québec dans le Canada de demain, Montreal, Éd. du Jour, 1967, 2 vol.

Le Canada et les pays africains francophones, Ottawa, Commission nationale canadienne pour l'Unesco, 1965, IX-170p.

Rapport de la Commission royale d'enquête sur l'avancement des arts, lettres, sciences au Canada, 1949-1951, Ottawa, Imprimeur du Roi, 1951, XIX-596p. [*Report of the Royal Commission on National Development in the Arts, Letters and Sciences, 1949-1951*, Ottawa, King's Printer, 1951, XXI-517p.]

Rapport de la Commission royale d'enquête sur le bilinguisme et le biculturalisme, Ottawa, Imprimeur de la Reine, 1967-1969, 4 vol. [*Report of the Royal Commission on Bilingualism and Biculturalism*, Ottawa, Queen's Printer, 1965-1969, 4 vol.] [10 vol. were to be published, but it has been decided that only 4 would appear].

Rapport de la Commission royale d'enquête sur l'enseignement dans la province de Québec, Quebec City, Imprimeur de la Reine, 1966, 5 vol. [*Report of the Royal Commission of Inquiry on Education*, Quebec City, Queen's Printer, 1966, 5 vol.]

Royal Commission Studies. A Selection of Essays Prepared for the Royal Commission on National Development in the Arts, Letters and Sciences, Ottawa, King's Printer, 1951, VII-430p.

The French Language and Culture in Canada, Brandon, Brandon University, 1969, 89p.

ANGERS, F. A., *Les droits du français au Québec*, Montreal, Éd. du Jour, 1971, 189p.

BARBEAU, R., *Le Québec bientôt unilingue?*, Montreal, Éd. de l'Homme, 1965, 157p.

BARBEAU, V., *Le français du Canada*, Quebec City, Garneau, 1970, 303p. (new edition).

BÉLANGER, H., *Place à l'homme: Écrits du Canada français*, No 26, [1969], pp. 11-124. [new edition: Montreal, HMH, 1972, 254p.]

BIBEAU, G., *Nos enfants parleront-ils français?*, Montreal, Éd. l'Actualité, 1966, 93p.

BOUDREAULT, M., *Rythme et mélodie de la phrase parlée en France et au Québec*, Quebec City, Les Presses de l'Université Laval, 1968, 276p.

BOURASSA; H., *La langue gardienne de la foi: traditions nationales et religieuses des Canadiens français*, Montreal, Bibliothèque de l'Action française, 1919.

BRAZEAU, J. (ed.), *Le français, langue de travail*, Quebec City, Les Presses de l'Université Laval, 1971, 144p.

CHANTAL, R. de, *Chroniques de français*, Ottawa, Éd. de l'Université d'Ottawa, 1961, 266p.

CHARBONNEAU, R., *Étude sur les voyelles nasales du français canadien*, Quebec City, Les Presses de l'Université Laval, 1971, X-408p.

CONSEIL DE LA VIE FRANÇAISE EN AMÉRIQUE; *Un Québec français*, Quebec City, Ferland, 1969, 151p.

DAGENAIS, G., *Des mots et des phrases pour mieux parler*, Montreal, Éd. du Jour, 1966, 128p.

DAGENAIS, G., *Dictionnaire des difficultés de la langue française au Canada*, Quebec City-Montreal, Ed. Pédagogia, 1968, 680p.

DAGENAIS, G., *Nos écrivains et le français*, Montreal, Éd. du Jour, 1967, 109p.

DAGENAIS, G., *Réflexions sur nos façons d'écrire et de parler*, Montreal, Le Cercle du Livre de France, 1959.

DESBIENS, J.-P., *Les Insolences du frère Untel*, Montreal, Éd. de l'Homme, 1960, 154p. [*The Impertinences of Brother Anonymous*, Montreal, Harvest House, 1962, 126p.]

DULONG, G., *Dictionnaire correctif du français au Canada*, Quebec City, Les Presses de l'Université Laval, 1968, VII-255p.

DUMONT, F. & MARTIN, Y. (eds.), *Situation de la recherche sur le Canada français*, Quebec City, Les Presses de l'Université Laval, 1962, 296p.

FÉDÉRATION LIBÉRALE DU QUÉBEC, *Pour une politique québécoise*, Montreal, Éd. du Jour, 1967, 211p.

GENDRON, J.-D., *Tendances phonétiques du français parlé au Canada*, Quebec City, Les Presses de l'Université Laval, 1966.

GENDRON, J.-D. & STRAKA, G., *Études de linguistique franco-canadienne*, Quebec City, Les Presses de l'Université Laval, 1967, 176p.

KATTAN, N., "L'Immigrant de langue française et son intégration au Québec," *Écrits du Canada français*, No 25, pp. 173-247.

LAMONTAGNE, L. (ed.), *Le Canada français d'aujourd'hui*, Quebec City, Les Presses de l'Université Laval, 1970, VIII-161p.

LANDRY, L., . . . *et l'assimilation, pourquoi pas?*, Montreal, Presses Libres, 1969, 126p.

LAURENCE, J.-M., *Notre français sur le vif*, Montreal, Centre de psychologie et de pédagogie, 1947, 301p.

LEBEL, M., *Éducation et humanisme*, Sherbrooke, Éd. Paulines, 1966, 480p.

LÉON, P., *Recherches sur la structure phonique du français canadien*, Montreal, Didier, 1969, 233p.

LORRAIN, R., *La mort de mon joual*, Montreal, Éd. du Jour, 1966, 128p.

MAHEU, R., *Les francophones du Canada, 1941-1991*, Montreal, Parti Pris, 1970, 119p.

ORKIN, M. M. *Speaking Canadian French: An Informal Account of the French Language in Canada*, Toronto, General Publishing, 1971, XII-132p.

PARTI QUÉBÉCOIS, *Les Dossiers du 4ième congrès national du Parti québécois*, 1972, 414p.

PELLETIER, A., *Carquois*, Montreal, Librairie d'action canadienne-française, 1931, 217p.

SIMARD, J., *Nouveau répertoire*, Montreal, HMH, 1965, 419p.

TOUGAS, G., *La Francophonie en péril*, Montreal, Cercle du Livre de France, 1967, 184p.

TURENNE, A., *Petit dictionnaire du "joual" au français*, Montreal, Éd. de l'Homme, 1962, 93p.

Periodicals:

Culture
Culture vivante
Enseignement secondaire
Meta
Mieux dire

See also:

Biculturalism and Bilingualism
Culture
Education, Teaching, and School Systems

13. GENEALOGY

Studies and Dictionaries:

DE VARENNES, K. M., *Sources généalogiques tirées de Canadiana/Genealogical materials compiled from Canadiana*, Eastview, 1961, 36p.

DE VARENNES, K. M., *Bibliographie annotée d'ouvrages généalogiques à la bibliothèque du Parlement; indiquant d'autres bibliothèques canadiennes possédant les mêmes ouvrages/Annotated Bibliography of Genealogical Works in the Library of Parliament...*, Ottawa, Library of Parliament, 1963, 180p.

LEBOEUF, J.-A., *Complément au Dictionnaire généalogique Tanguay*, Montreal, 1957-1964, 3 vol.

MALCHELOSSE, G., "Généalogie et généalogiste au Canada," *Les Cahiers des Dix*, vol. 13, 1948, pp. 269-298.

TANGUAY, C., *Dictionnaire généalogique des familles canadiennes depuis la fondation de la colonie jusqu'à nos jours*, Quebec City, Sénécal, 1871-1880, 7 vol.

Periodicals:

Cahiers des Dix
Le mois généalogique
Mémoires de la société généalogique canadienne-française
Rapports de l'Archiviste de la province de Québec

14. GEOGRAPHY

Bibliographies:

MINISTÈRE DES MINES ET RELEVÉS TECHNIQUES, *Bibliographie choisie d'ouvrages sur la géographie du Canada/Selected Bibliography on Canadian Geography*, Ottawa, 1953.

MINISTÈRE DES MINES ET RELEVÉS TECHNIQUES, *Liste des thèses et dissertations sur la géographie du Canada/Cumulative List of Theses and Dissertations on Canadian Geography*, Ottawa, 1964, 57p.

MORRISSONNEAU, C., *Index* [*du*] *Bulletin de la Société de géographie de Québec, 1880-1934,* [*et du*] *Bulletin des Sociétés de géographie de Québec et de Montréal, 1942-1944*, Quebec City, Centre de documentation de la bibliothèque de l'Université Laval, 1970, 121p.

Studies:

Esquisses du Canada français, Montreal, Fides, 1967, 450p. [*Facets of French Canada*, Montreal, Fides, 1967, 450p.]

Mélanges géographiques canadiens offerts à Raoul Blanchard, Quebec City, Les Presses de l'Université Laval, 1959, 494p.

BLANCHARD, R., *Le Canada français*, Paris, Fayard, 1960, 314p.

BLANCHARD, R., *L'Ouest du Canada français*, Montreal, Beauchemin, 1953-1954, 2 vol.

BLANCHARD, R., *Le Centre du Canada français*, Montreal, Beauchemin, 1948, 577p.

BROSSARD, J., *Le territoire québécois*, Montreal, Les Presses de l'Université de Montréal, 1970, XIII-412p.

CAMU, P. (ed.), *Economic Geography of Canada: With an Introduction to a 68-region System*, Toronto, Macmillan, 1964, 393p.

COMMISSION DE GÉOGRAPHIE et MINISTÈRE DES TERRES ET FORÊTS DU QUÉBEC, *Répertoire géographique du Québec*, Quebec City, Éditeur officiel du Québec, 1969, 701p.

CURRIE, A. W., *Economic Geography of Canada*, Toronto, Macmillan, 1945, 455p.

DORION, H., *La frontière Québec-Terre Neuve*, Quebec City, Les Presses de l'Université Laval, 1963, 316p.

DUMONT, F. & MARTIN, Y. (eds.), *Situation de la recherche sur le Canada français*, Quebec City, Les Presses de l'Université Laval, 1962, 296p.

GAGNON, R., *Les Cantons de l'Est*, Montreal, Holt, Rinehart et Winston, 1970, 84p.

GRENIER, F. (ed.), *Le Québec*, Montreal, Éd. du Renouveau pédagogique, 1971, 80p.

HAMELIN, L.-E., *Le Canada*, Paris, Presses universitaires de France, 1969, 248p.

LALIBERTÉ, P., *Le Nord-Ouest québécois*, Amos, Quebec, Éd. Ojibway, 1969, 67p.

MALAURIE, J., *Le Nouveau-Québec: Contribution à l'étude de l'occupation humaine*, Paris and the Hague; Mouton, 1964, 466p.

MORRISSONNEAU, C., *La Société de géographie de Québec, 1867-1970*, Quebec City, Les Presses de l'Université Laval, 1971, XVI-264p.

PUTNAM, D. F., (ed.), *Canadian Regions: A Geography of Canada*, Toronto, Dent, 1965 (7th ed.), IX-601p.

SCARFE, N., TOMKINS, G. & TOMKINS, D., *A New Geography of Canada*, Toronto, W. J. Gage, 1963, X-494p.

TOMKINS, G. S. & HILLS, T. L., *Canada: A Regional Geography*, Toronto, W. J. Gage, 1962, XII-387p.

WARKENTIN, J. (ed.), *Canada: A Geographical Interpretation*, Toronto, Methuen, 1968, 608p.

Periodicals:

Cahiers de géographie de Québec
Canadian Geographer/Géographe canadien
Revue de géographie de Montréal

15. HANDICRAFT

Les Arts au Canada, Ottawa, Imprimeur de la Reine, 1961, 120p.

BARBEAU, M., *Maîtres artisans de chez nous*, Montreal, Éd. de Zodiaque, 1942, 220p.

GAUVREAU, J.-M., *Artisans du Québec*, Trois-Rivières, Éd. du Bien Public, 1940, 224p.

JASMIN, C., *Les artisans créateurs*, Montreal, Éd. Lidec, 1967, 118p.

LAMY, L., *L'artisanat au Canada français*, Quebec City, Ministère des affaires culturelles, 1966, 96p.

LAMY, L., *La Renaissance des métiers d'art au Canada français*, Quebec City, Ministère des affaires culturelles, 1967, 184p.

LESSARD, M. & MARQUIS, H., *Encyclopédie des Antiquités du Québec: trois siècles de production artisanale*, Montreal, Éd. de l'Homme, 1971, 526p.

PALARDY, J., *Les meubles anciens du Canada français*, Paris, Éd. Arts et métiers graphiques, 1963, 401p.

16. HISTORY

Bibliography

BEAULIEU, A., HAMELIN, J. & BERNIER, B., *Guide d'histoire du Canada*, Quebec City, Les Presses de l'Université Laval, 1969, XVI-540p.

On the present situation of historical research in Quebec, one may consult Serge Gagnon's essay published in the above mentioned book and entitled: "Historiographie canadienne ou les fondements de la conscience nationale." See also:

BAUDOUIN, L. (ed.), *La Recherche au Canada français*, Montreal, Les Presses de l'Université de Montréal, 1968, 164p.

DUMONT, F. & MARTIN, Y. (eds.), *Situation de la recherche sur le Canada français*, Quebec City, Les Presses de l'Université Laval, 1962, 296p.

DUROCHER, R. & LINTEAU, P.-A., *Histoire du Québec: Bibliographie sélective, 1867-1970*, Trois-Rivières, Éd. Le Boréal Express, 1970, 189p.

Studies

Cent ans d'histoire (1867-1967), Revue d'histoire de l'Amérique française, Vol. XXI, no 3a.

"Le Canada français entre le passé et l'avenir," *Chronique sociale de France*, September 15, 1957, pp. 401-504.

Histoire du Royal 22e Régiment, Quebec City, Éd. du Pélican, 1964, 414p.

BELLAVANCE, M. & GILBERT, M., *L'Opinion publique et la crise d'octobre*, Montreal, Éd. du Jour, 1971, 183p.

BERGER, C. (ed.), *Approaches to Canadian History*, Toronto, University of Toronto Press, 1967, 112p.

BERGERON, L., *Petit manuel d'histoire du Québec*, Montreal, Éd. québécoises, 1970, 207p. [*The History of Quebec: A Patriot's Handbook*, Toronto, NC Press, 1971, 245p.]

BILODEAU, R. (ed.), *Histoire des Canadas*, Montreal, HMH, 1971, 676p.

BRUNET, M., *Canadians et Canadiens*, Montreal, Fides, 1954, 173p.

BRUNET, M., *La Présence anglaise et les Canadiens*, Montreal, Beauchemin, 1958, 293p.

CARELESS, J. M. S. (ed.), *The Canadians, 1867-1967*, Toronto, Macmillan, 1968, XII-412p.

COOK, R., SAYWELL, J. T. & RICHER, J. C., *Canada: A Modern Study*, Toronto, Clarke, Irwin & Co., 1963, 268p.

CORNELL, P. G., HAMELIN, J., OUELLET, F. & TRUDEL, M., *Canada, unité et diversité*, Montreal, Holt, Rinehart et Winston, 1968, 578p.

DAWSON, R. M., *The Conscription Crisis of 1944*, Toronto, University of Toronto Press, 1961, 136p.

DIONNE, P., *Une analyse historique de la Corporation des enseignants du Québec (1836-1968)*, Quebec City, Faculté des Sciences sociales de l'Université Laval, 1969, VII-259p.

DUMONT, F., MONTMINY, J. P. & HAMELIN, J. (eds.), *Idéologies au Canada français*, Quebec City, Les Presses de l'Université Laval, 1971, IX-327p.

EASTERBROOK, W. T. & AITKEN, H. G. J., *Canadian Economic History*, Toronto, Macmillan, 1956, XX-606p.

EAYRS, J., *In Defence of Canada: From the Great War to the Great Depression*, Toronto, University of Toronto Press, 1964, XIV-382p.

EAYRS, J., *In Defence of Canada: Appeasement and Rearmament*, Toronto, University of Toronto Press, 1965, XIV-261p.

GIROUX, M., *La pyramide de Babel*, Montreal, Éd. Sainte-Marie, 1967, 142p.

GROULX, L., *Histoire du Canada français*, Montreal, Fides, 1960, 2 vol.

GUILLET, E. C., *Lives and Times of the Patriots*, Toronto, University of Toronto Press, 1967, XIV-304p.

HAMELIN, J., *Le Canada français: son évolution historique, 1497-1967*, Trois-Rivières, Éd. Le Boréal Express, 1967, 64p.

HAMELIN, J., HUOT, J. & HAMELIN, M., *Aperçu de la politique canadienne au XIXe siècle*, Quebec City, Culture, 1965, 154p.

LACOURSIÈRE, J. & VAUGEOIS, D., *Histoire 1534-1968*, Montréal, Éd. du Renouveau pédagogique, 1968, 615p.

LAMONTAGNE, L. (ed.), *Visages de la civilisation au Canada français*, Quebec City, Les Presses de l'Université Laval, 1970, VIII-130p.

LANGLOIS, G., *Histoire de la population canadienne-française*, Montreal, A. Lévesque, 1934, 309p.

LAURENDEAU, A., *La Crise de la conscription*, Montreal, Éd. du Jour, 1962, 157p.

LETOURNEAU, F., *Histoire de l'agriculture au Canada*, Gardenvale, Harpell, 1959, 400p.

LOWER, A. R. M., *Canadians in the Making: A Social History of Canada*, Toronto, Longman, 1958, XXIV-475p.

MacKIRDY, K. A. (ed.), *Changing Perspectives in Canadian History*, Notre Dame, University of Notre Dame Press, 1967, XXXIII-373p.

McINNIS, E., *Canada: A Political and Social History*, New York, Holt, Rinehart and Winston, 1959, XVI-619p.

MILBORNE, A. J. B., *Freemasonry in the Province of Quebec, 1759-1959*, Quebec City [Grand Lodge of Quebec], 1960, 253p.

NISH, J. C., *Quebec in the Duplessis Era, 1935-1959: Dictatorship or Democracy*, Toronto, Copp Clark, 1970, 164p.

OUELLET, F., *Histoire économique et sociale du Québec, 1760-1850*, Montreal, Fides, 1966, XXXII-640p.

ORBAN, E., *Le Conseil législatif de Québec, 1867-1967*, Paris and Montreal, Desclée de Brouwer and Bellarmin, 1967, 354p.

RIOUX, M. & MARTIN, Y. (eds.), *French Canadian Society*, Toronto, McClelland and Stewart, 1964, 405p.

RUMILLY, R., *Histoire de l'École des hautes études commerciales de Montréal 1907-1967*, Montreal, Beauchemin, 1967, 214p.

RUMILLY, R., *Histoire de la province de Québec*, Montreal, Fides, 1941-1969, 41 vol.

RYERSON, S. B., *French Canada: A Study in Canadian Democracy*, Toronto, Progress Books, 1944, 237p.

SEGUIN, M., *L'Idée d'indépendance au Québec: genèse et historique*, Trois-Rivières, Éd. Le Boréal Express, 1968, 66p.

SOCIÉTÉ ROYALE DU CANADA, *Aux Sources du présent/The Roots of the Present*, Toronto, University of Toronto Press, 1960, X-111p.

WADE, M., *The French Canadians*, Toronto, Macmillan, 1970 (new edition), 2 vol.

Periodicals:

Action nationale
Bulletin des recherches historiques
Canadian Historical Review
Culture
Recherches sociographiques
Revue d'Histoire de l'Amérique française

See also:

Biculturalism and Bilingualism
Duplessis, Maurice
Economy, Industry, and Agriculture
Federalism
French Canada and French Canadians

17. JOURNALISM, NEWSPAPERS, AND MASS MEDIA

Bibliographies:

BEAULIEU, A. & HAMELIN, J., *Les journaux du Québec de 1764 à 1964*, Quebec City, Les Presses de l'Université Laval, 1965, XXVI-329p.

GOGGIO, E., *A Bibliography of Cultural Periodicals (English and French from Colonial Times to 1950) in Canadian Libraries*, Toronto, University of Toronto Press, 1955, 45p.

LIZOTTE, J., *Répertoire bibliographique des revues canadiennes-françaises, 1900-1957*, Montreal, École de bibliothéconomie de l'Université de Montréal, 1957, XXI-64p.

Studies:

Rapport de la Commission royale d'enquête sur l'avancement des arts, lettres et sciences au Canada, Ottawa, Imprimeur du Roi, 1951, [*Report of the Royal Commission on National Development in the Arts, Letters and Sciences*, Ottawa, King's Printer, 1951, XXI-517p.]

Rapport de la Commission royale d'enquête sur le commerce du livre dans la province de Québec, Quebec City, Imprimeur de la Reine, 1963, 259p.

Royal Commission Studies: A Selection of Essays, Prepared for the Royal Commission on National Development in the Arts, Letters and Sciences, Ottawa, King's Printer, 1951, VII-430p.

Report of the Royal Commission on Broadcasting, Ottawa, Queen's Printer, 1957, 2 vol.

Report of the Royal Commission on Publications, Ottawa, Queen's Printer, 1961, VI-263p.

Le public et l'information en relations du travail, Quebec City, Les Presses de l'Université Laval, 1969, 226p.

CRAICK, W. A., *A History of Canadian Journalism, 1919-1959*, Toronto, Ontario Publishing, 1959, 2 vol.

DAVIS, S. M. (ed.), *Comparative Management: Organizational and Cultural Perspectives*, Englewood Cliffs, Prentice-Hall, 1971.

DEVIRIEUX, C. J., *Manifeste pour la liberté de l'information*, Montreal, Éd. du Jour, 1971, 223p.

HUOT, M., *Journalistes canadiens*, Trois-Rivières Éd. du Bien public, 1959, 91p.

IRWING, J. A. (ed.), *Mass Media in Canada*, Toronto, Ryerson Press, 1962, 236p.

KESTERTON, W., *History of Journalism in Canada*, Ottawa, The Carleton Library, 1967, IX-304p.

LAMONTAGNE, L. (ed.), *Visages de la civilisation au Canada français*, Quebec City, Les Presses de l'Université Laval, 1970, VIII-130p.

LAURENDEAU, A., *Ces choses qui nous arrivent*, Montreal, HMH, 1970, XXI-343p.

MIGUÉ, J.-L. (ed.), *Le Québec d'aujourd'hui: regards d'universitaires*, Montreal, HMH, 1971, 251p.

OSSENBERG, R. J. (ed.), *Canadian Society: Pluralism, Change and Conflict*, Scarborough, Prentice-Hall of Canada, 1971.

PELLERIN, J., *La jungle du journalisme*, Montreal, Lidec, 1967, 182p.

WEIR, E. A., *The Struggle for National Broadcasting in Canada*, Toronto, McClelland and Stewart, 1965, 477p.

See also:

Culture

18. LAW

Code civil de la province de Québec (15th Edition), Montreal, Wilson and Lafleur, 1962, 598p.

Le Québec dans le Canada de demain, Montreal, Éd. du Jour, 1967, 2 vol.

Les tribunaux du travail, Quebec City, Les Presses de l'Université Laval, 1961, 162p.

BAUDOUIN, L. (ed.), *La Recherche au Canada français*, Montreal, Les Presses de l'Université de Montréal, 1968, 164p.

BAUDOUIN, L., *Les aspects généraux du droit public dans la province de Québec*, Paris, Librairie Dalloz, 1965, 431p.

BAUDOUIN, L. (ed.), *Quelques aspects du droit de la province de Québec*, Paris, Éd. Cujas, 1963, VIII-279p.

BIRCH, A. H., *Federalism, Finance and Social Legislation in Canada, Australia, and the United States*, Oxford, Clarendon Press, 1955, XIV-314p.

BROSSARD, J., *La Cour Suprême et la Constitution*, Montreal, Les Presses de l'Université de Montréal, 1968, 427p.

BROSSARD, J., *L'Immigration: les droits et pouvoirs du Canada et du Québec*, Montreal, Les Presses de l'Université de Montréal, 1967, 208p.

DUSSAULT, R., *Le contrôle judiciaire de l'administration au Québec*, Quebec City, Les Presses de l'Université Laval, 1969, XXV-487p.

LA FORTE, D. & BERNARD, A., *La législation électorale au Québec, 1790-1967*, Montreal, Éd. Sainte-Marie, 1969, 197p.

LEDERMAN, W. R. (ed.), *The Courts and the Canadian Constitution*, Toronto, McClelland and Stewart, 1964, 248p.

PEPIN, G., *Les tribunaux administratifs et la Constitution. Étude des Articles 96 à 101 de l'A.A.N.B.*, Montreal, Les Presses de l'Université de Montréal, 1969, XVIII-422p.

RIVARD, E., *Les droits sur les successions dans la province de Québec*, Quebec City, Les Presses de l'Université Laval, 1956, LXIX-573p.

TREMBLAY, A., *Les compétences législatives au Canada et les pouvoirs provinciaux en matière de propriété et de droits civils*, Ottawa, Éd. de l'Université d'Ottawa, 1967, 350p.

TRUDEAU, P. E. (ed.), *La grève de l'amiante*, Montreal, Éd. du Jour, 1970 (new edition), XVIII-430p.

VACHON, A., *Histoire du notariat canadien, 1621-1960*, Quebec City, Les Presses de l'Université Laval, 1962, XXVIII-209p.

VIAU, J., *Lois et jurisprudence concernant les cités et villes de la province de Québec/Acts and Jurisprudence Concerning Cities and Towns of the Province of Quebec*, Montreal, Wilson & Lafleur, 1961, LVII-865p.

Periodicals:

Revue du Barreau
Themis

19. LITERATURE

Bibliographies:

Bibliographie du Québec, Quebec City, Ministère des affaires culturelles. [Published four times a year since 1968.]

Cahiers bibliographiques des lettres québécoises, Montreal, Les Presses de l'Université de Montréal, 1966.

Canadiana, Ottawa, Queen's Printer. [Published since 1951.]

Catalogue de l'édition au Canada français, Quebec City, Ministère des affaires culturelles, [several revised and updated editions since 1965.]

Livres et auteurs canadiens, Montreal, Éd. Jumonville. [Annual publication since 1962. It became, in 1970: *Livres et auteurs québécois.*]

Répertoire bio-bibliographique de la Société des écrivains canadiens, Montreal, Société des écrivains canadiens, 1954, 248p.

BELL, I. F. & PORT, S. W. (eds.), *Canadian Literature/Littérature canadienne 1959-1963*, Vancouver, The University of British Columbia, 1966, VIII-140p.

LEMIRE, M. & LANDRY, K., *Répertoire des spécialistes de littérature canadienne-française*, Quebec City, Faculté des lettres, Université Laval, 1971, IV-93p.

NAAMAN, A., *Guide bibliographique des thèses littéraires canadiennes de 1921 à 1969*, Sherbrooke, Cosmos, 1970, 338p.

STORY, N., *The Oxford Companion to Canadian History and Literature*, Toronto, Oxford University Press, 1967, XI-935p.

Present State of Research on Quebec's Literature and Writers

Rapport de la Commission royale d'enquête sur le commerce du livre dans la province de Québec, Quebec City, Imprimeur de la Reine, 1963, 259p.

Report of the Royal Commission on National Development in the Arts, Letters and Sciences, Ottawa, King's Printer, 1951, XXI-517p.

Royal Commission Studies: A Selection of Essays, Prepared for the Royal Commission on National Development in the Arts, Letters and Sciences, Ottawa, King's Printer, 1951, VII-430p.

BAUDOUIN, L. (ed.), *La recherche au Canada français*, Montreal, Les Presses de l'Université de Montréal, 1968, 164p.

DUMONT, F. & MARTIN, Y. (eds.), *Situation de la recherche sur le Canada français*, Quebec City, Les Presses de l'Université Laval, 1962, 296p.

WYCZYNSKI, P., "Histoire et critique littéraires au Canada français," *Recherches sociographiques*, January-August, 1964, pp. 52-69.

WYCZYNSKI, P. (ed.), *Recherche et littérature canadienne-française*, Ottawa, Les Presses de l'Université d'Ottawa, 1969.

Studies and Monographs

A – HISTORIES AND SURVEYS OF QUEBEC'S FRENCH LITERATURE

Esquisses du Canada français, Montreal, Fides, 1967, 450p. [*Facets of French Canada*, Montreal, Fides, 1967, 450p.]

La littérature canadienne, Les Cahiers de Sainte-Marie, No 1, Montreal, Éd. Sainte-Marie, 1966, 128p.

BAILLARGEON, S., *Littérature canadienne-française*, Montreal, Fides, 1964, 525p. [3rd ed.].

BESSETTE, G., GESLIN, L. & PARENT, Ch., *Histoire de la littérature canadienne-française*, Montreal, Centre éducatif et culturel, 1968, 704p.

BROCHU, A., *La littérature par elle-même, Cahiers de l'A.G.E.U.M.*, No 2, 1962, 64p.

BRUNET, B., *Histoire de la littérature canadienne-française*, Montreal, HMH, 1970, 332p. [First published in 1946.]

DE GRANDPRÉ, P. (ed.), *Histoire de la littérature française du Québec*, Montreal, Beauchemin, 1967-1969, 4 vol.

GAY, P., *Notre littérature*, Montreal, HMH, 1969, XVI-214p.

MOISAN, C., *L'âge de la littérature canadienne*, Montreal, HMH, 1969, IX-193p.

ROY, C., *Manuel d'histoire de la littérature canadienne-française*, Montreal, Beauchemin, 1945, 201p. [10th ed.].

SYLVESTRE, G., *Panorama des lettres canadiennes-françaises*, Quebec City, Ministère des affaires culturelles, 1964, 201p.

SYLVESTRE, G., CONRON, B. & KLINCK, D. F., *Canadian Writers/Écrivains canadiens*, Toronto, Ryerson Press, 1966, 186p.

SYLVESTRE, G. & GREEN, G. (eds.), *Un siècle de littérature canadienne*, Montreal, HMH, 1967, 600p.

TOUGAS, G., *Histoire de la littérature canadienne-française*, Paris, Presses universitaires de France, 1964, 309p. (2nd ed.). [History of French-Canadian Literature, Toronto, Ryerson Press, 1966, IX-301p.]

VIATTE, A., *Histoire littéraire de l'Amérique française*, Paris and Quebec City, Presses universitaires de France and Les Presses de l'Université Laval, 1954, XI-545p.

B – BOOKS ON VARIOUS ASPECTS OF QUÉBEC'S LITERATURE AND ITS DIFFERENT GENRES

Écrivains du Canada, Les Lettres nouvelles, December 1966-January 1967, 251p.

Le Canada français aujourd'hui et demain, Paris, Fayard, 1961, 197p.

Le Devoir littéraire, (special issue), November 28, 1959, 32p.

"La Province de Québec," *Revue française de l'élite européenne*, No. 140, March 1962, 123p.

Littérature canadienne-française, Montreal, Les Presses de l'Université de Montréal, 1967, XIV-346p.

Littérature du Québec, Europe, February-March 1969, 285p.

"Le Québec et sa littérature," *Revue d'histoire littéraire de la France*, September-October, 1969.

Pour une littérature québécoise, Parti Pris, vol II, January 1965, 88p.

Report of the Royal Commission on National Development in the Arts, Letters and Sciences, 1949-1951, Ottawa, King's Printer, 1951, XXI-517p.

Royal Commission Studies: A Selection of Essays Prepared for the Royal Commission on National Development in the Arts, Letters and Sciences, Ottawa, King's Printer, 1951, VII-430p.

Report of the Royal Commission on Publications, Ottawa, Queen's Printer, 1961, VI-263p.

Société canadienne et culture française, Liège, Université de Liège, 1970, 69p.

Thought, from the Learned Societies of Canada, Toronto, W. J. Gage, 1961, 250p.

Versions, Montreal, Cahiers de l'Académie canadienne-française, 1970, 119p.

Voix et images du pays, Quebec City, Les Presses de l'Université du Québec, 1970-1972, 5 vol.

BAILLARGEON, P., *Le choix*, Montreal, HMH, 1969, 172p.

BAILLARGEON, P., *Le Scandale est nécessaire*, Montreal, Éd. du Jour, 1962.

BARBEAU, V., *La face et l'envers*, Montreal, Publications de l'Académie canadienne-française, 1966, 158p.

BASTIEN, H., *Ces écrivains qui nous habitent*, Montreal, Beauchemin, 1969, 227p.

BEAULIEU, V.-L., *Quand les écrivains québécois jouent le jeu*, Montreal, Éd. du Jour, 1970, 268p.

BELANGER, R., *La Côte Nord dans la littérature*, Quebec City, Belisle, 1971, 128p.

BESSETTE, G., *Une littérature en ébullition*, Montreal, Éd. du Jour, 1968, 315p.

BLAIN, M., *Approximations*, Montreal, HMH, 1967, 246p.

DE GRANDPRÉ, P., *Dix ans de vie littéraire au Canada français*, Montreal, Beauchemin, 1966, 293p.

DUMONT, F. & FALARDEAU, J.-C. (eds.), *Littérature et société canadienne-française*, Quebec City, Les Presses de l'Université Laval, 1964, 272p.

ETHIER-BLAIS, J., *Signets II*, Montreal, Le Cercle du Livre de France, 1967.

ETHIER-BLAIS, J. (ed.), *Littérature*, Montreal, HMH, 1971, 263p.

LAMONTAGNE, L. (ed.), *Le Canada français d'aujourd'hui*, Quebec City, Les Presses de l'Université Laval, 1970, VIII-161p.

LAMONTAGNE, L. (ed.), *Visages de la civilisation au Canada français*, Quebec City, Les Presses de l'Université Laval, 1970, VIII-130p.

LAROCHE, M., *Le Miracle et la métamorphose: essai sur les littératures du Québec et d'Haiti*, Montreal, Éd. du Jour, 1970, 239p.

LEBEL, M., *D'Octave Crémazie à Alain Grandbois*, Quebec City, L'Action sociale, 1963, 288p.

LEGER, J., *Le Canada français et son expression littéraire*, Paris, Nizet, 1938, 211p.

LEMOYNE, J., *Convergences*, Montreal, HMH, 1961, 324p.

MARCEAU, C., & SAVARD, R., *L'Écrivain canadien face à la réalité*, Montreal, Éd. Nocturne, 1962, 62p.

MARCOTTE, G., *Une littérature qui se fait*, Montreal, HMH, 1962, 292p.

MARCOTTE, G. (ed.), *Présence de la critique*, Montreal, HMH, 1966, 254p.

MARCOTTE, G., *Les bonnes rencontres*, Montreal, HMH, 1971, 224p.

MENARD, J., *La vie littéraire au Canada français*, Ottawa, Éd, de l'Université d'Ottawa, 1971, 258p.

RICHLER, M. (ed.), *Canadian Writing Today*, Penguin Books, 1970, 331p.

ROBERT, G., *Aspects de la littérature québécoise*, Montreal, Beauchemin, 1970, 192p.

ROME, D. (ed.), *Jews in Canadian Literature: A Bibliography*, Montreal, Canadian Jewish Congress and Jewish Public Library, 1964, 2 vol.

SIMARD, J., *Répertoire*, Montreal, Le Cercle du Livre de France, 1961, 319p.

SOCIÉTÉ ROYALE DU CANADA, *Aux sources du présent/The Roots of the Present*, Toronto, University of Toronto Press, 1960, X-111p.

SUTHERLAND, R., *Second Image: Comparative Studies in Quebec/Canadian Literature*, Toronto, New Press, 1971, 189p.

TOUGAS, G., *Littérature canadienne-française contemporaine*, Toronto, Oxford University Press, 1969, IX-310p.

WARWICK, J., *The Long Journey: Literary Themes of French Canada*, Toronto, University of Toronto Press, 1968, X-172p.

WILSON, E., *O Canada! An American's Notes on Canadian Culture*, New York, Farrar, Straus & Giroux, 1965, 245p.

C – BOOKS ON FICTION

1 – Bibliographies:

DROLET, A., *Bibliographie du roman canadien-français (1900-1950)*, Quebec City, Les Presses de l'Université Laval, 1955, 125p.

HARE, J. E., "*Bibliographie du roman canadien-français*," *Archives des lettres canadiennes*, III, *Le Roman canadien-français*, Montreal, Fides, 1965, pp. 375-456.

HAYNE, D. & TIROL, D. M., *Bibliographie critique du roman canadien-français, 1837-1900*, Toronto, University of Toronto Press, 1967, 144p.

2 – Anthologies:

BESSETTE, G., (ed.), *De Saint-Boniface à Québec: récits et nouvelles du Canada français*. Toronto, Macmillan, 1968, X-286p.

3 – Critical Works:

"Le *Nouveau roman* canadien-français," *Incidences*, No 8, May 1965, 62p.

Le roman canadien-français, Archives des Lettres canadiennes, III, Montreal, Fides, 1965, 458p.

Roman 1960-1965, Liberté, November-December 1965.

COLLET, P., *L'Hiver dans le roman canadien-français*, Quebec City, Les Presses de l'Université Laval, 1965, 281p.

DANDURAND, A., *Le roman canadien-français*, Montreal, Lévesque, 1937, 253p.

FALARDEAU, J.-C., *Notre société et son roman*, Montreal, HMH, 1967, 234p.

PARADIS, S., *Femme fictive, femme réelle*, Quebec City, Garneau, 1966, 330p.

O'LEARY, D., *Le roman canadien-français*, Montreal, Le Cercle du Livre de France, 1954, 195p.

ROBIDOUX, R. & RENAUD, A., *Le roman canadien-français du vingtième siècle*, Ottawa, Éd. de l'Université d'Ottawa, 1966, 221p.

Soeur SAINTE-MARIE-ÉLEUTHÈRE, *La mère dans le roman canadien-français*, Quebec City, Les Presses de l'Université Laval, 1964, 214p.

D – BOOKS ON POETRY

1 – Anthologies:

BIDA, C., *Poésie du Québec contemporain*, Montreal, Déom, 1968, 195p.

BOSQUET, A., *Poésie canadienne*, Paris, Seghers, 1962. [New edition in 1966, 271p.]

BOURGEOIS, G., *Poètes du Quebec*, Paris, Éd. de la Revue moderne, 1968, 195p.

COGSWELL, F., *One Hundred Poems of Modern Quebec*, Fredericton, Fiddlehead Poetry Books, 1970, 91p.

COLOMBO, J. R. (ed.), *How Do I Love Thee: Sixty poets of Canada (and Quebec) select and introduce their favourite poems from their own work*, Edmonton, Hurtig, 1970, XV-184p.

COTNAM, J., *Poètes du Québec*, Montreal, Fides, 1969, 222p.

GLASSCO, J. (ed.), *The Poetry of French Canada in Translation*, Toronto, Oxford University Press, 1970, XXVI-270p.

PILON, J. Y. (ed.), *Poèmes 70*, Montreal, L'Hexagone, 1970, 109p.

RIÈSE, L., *L'Âme de la poésie canadienne-française*, Toronto, Macmillan, 1955, XXXI-263p.

SMITH, A. J. M., *The Oxford Book of Canadian Verse*, Toronto, Oxford University Press, 1960, 445p.

SYLVESTRE, G., *Anthologie de la poésie canadienne-française*, Montreal, Beauchemin, 1958. [Several editions since.]

VIATTE, A., *Anthologie littéraire de l'Amérique francophone*, Sherbrooke, CELEF, 1971, 519p.

2 – Critical Works:

La poésie canadienne-française, Archives des lettres canadiennes, IV, Montreal, Fides, 1969, 701p.

BESSETTE, G., *Les images en poésie canadienne-française*, Montreal, Beauchemin, 1960, 282p.

COLIN, M., *Une approche de la poésie québécoise de notre temps*, Saint-Jean, Éd. du Richelieu, 1971, 78p.

MARCOTTE, G., *Le temps des poètes*, Montreal, HMH, 1969, 247p.

PAUL-CROUZET, J., *Poésie au Canada*, Paris, Didier, 1946.

ROBERT, G., *Témoignages de 17 poètes, Littérature du Québec*, I, Montreal, Déom, 1964, 337p.

ROBERT, G., *Littérature du Québec: poésie actuelle*, Montreal, Déom, 1970, 403p.

TURNBULL, J., *Characteristic Traits of French Canadian Poetry*, Toronto, Macmillan, 1938, 225p. [On traditional French-Canadian Poetry.]

WYCZYNSKI, P., *Poésie et symbole*, Montreal, Déom, 1966, 253p.

E – BOOKS ON THEATRE

BÉRAUD, J., *350 ans de théâtre au Canada français*, Montréal, Le Cercle du Livre de France, 1958, 316p.

GODIN, J.-C., MAILHOT, L., *Le Théâtre québécois*, Montréal, HMH, 1970, 254p.

HAMBLET, E. C. *Marcel Dubé and French-Canadian drama*, New York, Exposition Press, 1970, 112p.

HAMELIN, J., *Le renouveau du théâtre au Canada français*, Montréal, Éd. du Jour, 1962, 160p.

HAMELIN, J., *Le théâtre au Canada français*, Quebec City, Ministère des affaires culturelles, 1964, 84p.

HOULE, L., *L'Histoire du théâtre au Canada*, Montreal, Fides, 1945, 173p.

KEMPF, Y., *Les trois coups à Montréal, 1959-1964*, Montreal, Déom, 1965, 383p.

TOUPIN, P., *L'écrivain et son théâtre*, Montreal, Le Cercle du Livre de France, 1964, 97p.

F – FRENCH-CANADIAN LITERATURE IN TRANSLATION

St-Denys Garneau and Anne Hébert, translations by F. R. Scott, Vancouver, Klanak Press, 1962, 49p.

ALLEN-SHORE (Lena), *The Singing God: ballads*, Montréal, Éd. Aries, 1971, 100p. (bilingual text).

AQUIN (Hubert), *Prochain épisode*, translated by Penny Williams, Toronto, McClelland and Stewart, 1967, 125p., (new edition in 1972, with an introduction by Ronald Sutherland). [Translation of *Prochain épisode.*]

BARBEAU (Charles-Marius), *The Tree of Dreams*, illustrated by Arthur Price, Toronto, Oxford University Press, 1955, IX-112p. [Translation of *L'Arbre des rêves.*]

BESSETTE (Gérard), *Incubation*, translated by Glen Shortliffe, Toronto, Macmillan, 1967, 143p. [Translation of *L'Incubation.*]

BESSETTE (Gérard), *Not for Every Eye*, translated by Glen Shortliffe, Toronto, Macmillan 1962, [3]-98p. [Translation of *Le Libraire.*]

BLAIS (Marie-Claire), *A Season in the Life of Emmanuel*, translated by Perek Coltman, introduction by Edmund Wilson, London, J. Cape, 1967, IX-145p. [Translation of *Une Saison dans la vie d'Emmanuel*]

BLAIS (Marie-Claire), *Mad Shadows*, translated by Merloyd Lawrence, London, J. Cape, 1960, 125p.; Toronto, McClelland and Stewart, 1960, 125p. (new edition in 1971, with an introduction by Naim Kattan). [Translation of *La Belle Bête*]

BLAIS (Marie-Claire), *Tête blanche*, translated by Charles Fullman, London, J. Cape, 1961, 136p.; Toronto, McClelland and Stewart, 1961, 136p.; Boston, Little Brown, 1962, 136p. [Translation of *Tête blanche*]

BLAIS (Marie-Claire), *The Day Is Dark* and *Three Travelers*, translated by Derek Coltman, New York, Farrar, Straus & Giroux, 1967, 183p. [Translation of *Le Jour est noir* and *Les voyageurs sacrés*]

BLAIS (Marie-Claire), *The Manuscripts of Pauline Archange*, translated by Derek Coltman, New York, Farrar, Straus & Giroux, 1970, 217p. [Translation of *Manuscrits de Pauline Archange* and *Vivre! Vivre!*]

CARRIER (Roch), *Floralie, Where Are You?*, translated by Sheila Fischman, Toronto, Anansi, 1971, 108. [Translation of *Floralie, où es-tu?*]

CARRIER (Roch), *La Guerre, Yes Sir!*, translated by Sheila Fischman, Toronto, Anansi, 1970, 113p. [Translation of *La Guerre, Yes Sir!*]

COGSWELL (Fred), *A Second Hundred Poems of Modern Quebec*, selected and translated by Fred Cogswell, Fredericton, Fiddlehead Poetry Books, 1971, 80p.

DAVELUY (Paule), *Summer in Ville-Marie*, translated by Monroe Stearns, New York, Holt, Rinehart and Winston, 1962, 142p. [Translation of *L'Eté enchanté.*]

DUCHARME (Réjean), *The Swallower Swallowed*, translated by Barbara Bray, London, H. Hamilton, 1968, 237p. [Translation of *L'Avalée des Avalés*]

DUDEK (Louis), *Poetry of Our Time*, an introduction to Twentieth-Century Poetry including modern Canadian Poetry, Toronto, Macmillan, 1965, XI-376p. [This book includes French Canadian poetry with English translations.]

ÉLIE (Robert), *Farewell My Dreams*, translated by Irene Coffin, Toronto, Ryerson Press, 1954, 213p.; New York, Bouregy & Curl, 1955, 213p. [Translation of *La Fin des Songes.*]

FRANCE (Claire), *Children in Love*, translated by Antonia White, London, Eyre and Spottiswoode, 1959, 167p. [Translation of *Les Enfants qui s'aiment*]

GÉLINAS (Gratien), *Bousille and the Just*, translated by Kenneth Johnstone, Toronto, Clarke Irwin, 1961, [3]-104p.; new translation by Kenneth Johnstone and Joffre Miville-Dechêne, Clarke Irwin, 1966, 90p. [Translation of *Bousille et les justes.*]

GÉLINAS (Gratien), *Tit-Coq*, translated by Kenneth Johnstone in cooperation with the author, Toronto, Clarke Irwin, 1967, 84p. [Translation of *Tit-Coq.*]

GÉLINAS (Gratien), *Yesterday the Children Were Dancing*, translated by Mavor Moore, Toronto, Clarke Irwin, 1967, 76p. [Translation of *Hier, les enfants dansaient*]

GIGUERE (Diane), *Innocence*, translated by Peter Green, London, V. Collancz, 1962, 191p.; Toronto, McClelland and Stewart, 1962, 191p.; London, Panther Books, 1966, 143p. [Translation of *Le Temps des jeux.*]

GIGUERE (Diane), *Whirlpool*, translated by Charles Fullman, Toronto, McClelland and Stewart, 1966, 78p. [Translation of *L'Eau est profonde.*]

GLASSCO (John), *The Poetry of French Canada in translation*, edited with an introduction by John Glassco, Toronto, Oxford University Press, 1970, XXVI-270p.

GODBOUT (Jacques), *Hail Galarneau!*, translated by Alan Brown, Don Mills, Longmans, 1970, 131p. [Translation of *Salut Galarneau!*]

GODBOUT (Jacques), *Knife on the Table*, translated by Penny Williams, Toronto, McClelland and Stewart, 1968, 128p. [Translation of *Le Couteau sur la table.*]

GRANDBOIS (Alain), *Selected Poems*, translated by Peter Miller, Toronto, Contact Press, 1964, XI-101p.

GREEN (Henry Gordon), *A Century of Canadian Literature/Un Siècle de littérature canadienne*, compiled by H. Gordon Green and Guy Sylvestre, Toronto, Ryerson Press and Montréal, HMH, 1967, XXXI [27]-599p.

GUEVREMONT (Germaine), *The Outlander*, translated by Eric Sutton, Toronto, McGraw-Hill, 1950, [5]-290p.; New York, Whittlesey House, 1950, 290p.; under the title, *Monk's Reach*, London, Evan Bros., 1950, 320p. [Translation of *Le Survenant* and *Marie-Didace*.]

HÉBERT (Anne), *Dialogue sur la traduction à propos du Tombeau des Rois*, by Anne Hébert and Frank Scott. Introduction by Jeanne Lapointe; preface by Northrop Frye, Montréal, HMH, 1970, 109p. [Dialogue in French and in English.]

HÉBERT (Anne), *The Tomb of the Kings*, translated by Peter Miller, Toronto, Contact Press, 1967, 91p. [Translation of *Le Tombeau des rois*.]

HÉBERT (Jacques), *The Temple on the River*, translated by Gerald Taaffe, Montréal, Harvest House, 1967, 175p. [Translation of *Les Écoeurants*]

JASMIN (Claude), *Ethel and the Terrorist*, translated by David S. Walker, Montreal, Harvest House, 1965, 112p. [Translation of *Ethel et le terroriste*.]

LANGEVIN (André), *Dust over the City*, translated by John Latrobe and Robert Gottlieb, Toronto, McClelland and Stewart, 1955, 215p. [Translation of *Poussière sur la ville*.]

LEMELIN (Roger), *In Quest of Splendour*, translated by Harry Lorin Binsse, Toronto, McClelland and Stewart, 1955, 288p.; London, A. Barker, 1956, 288p. [Translation of *Pierre le magnifique*.]

LEMELIN (Roger), *The Plouffe Family*, translated by Mary Finch, Toronto, McClelland and Stewart, 1950, 373p.; London, Cape, 1952, 383p. [Translation of *La Famille Plouffe*.]

LEMELIN (Roger), *The Town Below*, translated by Samuel Putnam, introduction by Glenn Shortliffe, Toronto, McClelland and Stewart, 1961, 286p. [Translation of *Au pied de la pente douce*.]

MARCOTTE (Gilles), *The Burden of God*, translated by Elisabeth Abbott, New York, Vanguard Press, 1964, 185p. [Translation of *Le Poids de Dieu*.]

NELLIGAN (Emile), *Selected Poems*, translated by F. Widdows, Toronto, Ryerson Press, 1960, XV-39p.

RENAUD (Jacques), *Flat, Broke and Beat*, translated by Gérald Robitaille, Montreal, Éd. du Bélier, 1964, 126p. [Translation of *Le Cassé*.]

RINGUET, *Thirty Acres*, introduction by Albert Legrand, Toronto, McClelland and Stewart, 1960, 249p. [Translation of *Trente arpents*.]

ROY (Gabrielle), *Street of Riches, Rue Deschambault*, translated by Harry Binsse, New York, Harcourt Brace, 1957, 246p.; Toronto, McClelland and Stewart, 1967, XII-158p. [Translation of *Rue Deschambault*.]

ROY (Gabrielle), *The Cashier*, translated by Harry Binsse, Toronto, McClelland and Stewart, 1955, 251p.; New York, Harcourt Brace and

World, 1955, 251p.; London, W. Heinemann, 1956, 278p. (McClelland and Stewart published a new edition in 1963). [Translation of *Alexandre Chenevert.*]

ROY (Gabrielle), *The Hidden Mountain*, translated by Harry Binsse, Toronto, McClelland and Stewart, 1962, 186p.; New York, Harcourt Brace and World, 1962, 186p. [Translation of *La Montagne secrète.*]

ROY (Gabrielle), *The Road past Altamont*, translated by Joyce Marshall, Toronto, McClelland and Stewart, 1966, 146p.; New York, Harcourt Brace and World, 1966, 146p. [Translation of *La Route d'Altamont.*]

ROY (Gabrielle), *The Tin Flute*, translated by Hannah Josephson, introduction by Hugo McPherson, Toronto, McClelland and Stewart, 1958, XI-275p. [Translation of *Bonheur d'occasion.*]

ROY (Gabrielle), *Where Nests the Water Hen*, translated by Harry Binsse, New York, Harcourt Brace and World, 1951, 251p.; London, Heinemann, 1952, 226p.; Toronto, McClelland and Stewart, 1961, 160p. [Translation of *La Petite poule d'eau.*]

ROY (Gabrielle), *Windflower*, translated by Joyce Marshall, Toronto, McClelland and Stewart, 1970, 152p. [Translation of *La Rivière sans repos.*]

ROY (George Ross), *Twelve Modern French Canadian Poets*, translated by G. R. Roy, Toronto, Ryerson Press, 1958, XI-99p.

SAINT-DENYS GARNEAU (Hector de), *Journal*, translated by John Glassco, with an introduction by Gilles Marcotte, Toronto, McClelland and Stewart, 1962, 139p.

SMITH (Arthur James Marshall), *Modern Canadian Verse*, in English and French, edited by A. J. M. Smith, Toronto, Oxford University Press, 1967, XXVI-426p.

SYLVESTRE (Guy),, *Un Siècle de littérature canadienne/A Century of Canadian Literature*, compiled by Guy Sylvestre and H. Gordon Green, Montreal, HMH and Toronto, Ryerson Press, 1967, XXXI [27]-599p.

THERIAULT (Yves), *Agaguk*, translated by Miriam Chapin, Toronto, Ryerson Press, 1963, 229p. [Translation of *Agaguk.*]

Periodicals:

Action nationale
Canadian Literature
Culture
Culture vivante
Dimensions
Enseignement secondaire
Études françaises
Études littéraires
Incidences and Co-Incidences
La Barre du Jour
Lectures

Liberté
Maintenant
Mes Fiches
Mosaic
Quebec 65
Parti Pris
Présence francophone
Queen's Quarterly
Recherches sociographiques
Relations
Revue de l'Université Laval
Revue de l'Université d'Ottawa
La Scène au Canada
Théâtre vivant
University of Toronto Quarterly
Vie des Arts
Vient de paraître

20. MONTREAL

French Canada in pictures, New York, Sterling Pub. Co., 1961, 64p.

Guidebook to Montreal Today, Montreal, Sage Publications, 1963, 64p.

La situation des immigrants à Montréal: étude sur l'adaptation occupationnelle, les conditions résidentielles et les relations sociales, Montreal, Conseil des oeuvres de Montréal, 1959, VII-376p.

Montréal 1963, La Revue française de l'élite européenne, November 1962, 83p.

Montréal 1963, La Revue française de l'élite européenne, January 1963, 92p.

Rapport de la Commission d'étude des problèmes intermunicipaux de l'île de Montréal, Quebec City, Imprimeur de la Reine, 1964, 107p.

Rapport de la Commission royale d'enquête sur le bilinguisme et le biculturalisme, Ottawa, Imprimeur de la Reine, 1967-1969, 4 vol. [*Report of the Royal Commission on Bilingualism and Biculturalism*, Ottawa, Queen's Printer, 1965-1969, 4 vol.] [10 vol. were to be published, but it has been decided that only 4 would appear].

Rapport de la Commission royale d'enquête sur l'enseignement dans la province de Québec, Quebec City, Imprimeur de la Reine, 1965, 5 vol. [*Report of the Royal Commission of Inquiry on Education in the Province of Quebec*, Quebec City, Queen's Printer, 1966, 5 vol.].

BARBEAU, V. (ed.), *Regards sur Montréal*, Montreal, Cahier de l'Académie canadienne-française, 1966, 163p.

BLANCHARD, R., *Le Canada français*, Paris, Fayard, 1960, 314p.

BLUMENFELD, H., *The Modern Metropolis*, Montreal, Harvest House, 1967, XV-377p.

BOISSEVAIN, J., *Les Italiens de Montréal*, Ottawa, Information Canada, 1971, XIII-87p.

BOURASSA, G., "La connaissance politique de Montréal, bilan et perspectives," *Recherches sociographiques*, vol. 6, No. 2, May-August 1965, pp. 163-179.

CHEVRETTE, F., MARX, H. & TREMBLAY, A., *Les Problèmes constitutionnels posés par la restructuration scolaire de l'Île de Montréal*, Quebec City, Éditeur officiel du Québec, 1972, 83p.

CHOQUETTE, R., *Montréal*, Montreal, Leméac, 1965, 192p.

COOPER, J. I., *Montreal: A Brief History*, Montreal, McGill-Queen's University Press, 1969, IV-217p.

CULLITON, J. (ed.), *Leacock's Montreal*, Toronto, McClelland and Stewart, 1963, XX-332p.

DESBARATS, P., *The State of Québec*, Toronto, McClelland and Stewart, 1964, 188p.

GRANDMONT, E. de & TARD, L-M., *Montréal-Guide*, Montreal, Éd. du Jour, 1967, 126p.

GRAY, C., *Le vieux Montréal*, Montreal, Éd. du Jour, 1964, 143p.

HARVEY, J.-C., *Visages du Québec*, Montreal, Le Cercle du Livre de France, 1965, 208p. [HARVEY, J.-C., *The Many Faces of Quebec*, Toronto, Macmillan, 1966, 202p.].

HENRIPIN, J. & MARTIN, Y., *La population du Québec et de ses régions*, Quebec City, Les Presses de l'Université Laval, 1964, 85p.

HOLLIER, R., *Montréal, ma grand'ville – a grand city*, Montreal, Déom, 1963, unpaged.

HUGUES, E. C., *French Canada in Transition*, Chicago, University of Chicago Press, 1943, XV-227p.

JENKINS, K., *Montreal: Island City of the St. Lawrence*, New York, Doubleday, 1966, XII-559p.

KEATING, C. & KEATING, D., *Guide to Montreal*, Toronto, McGraw-Hill, 1967, 258p.

KING, M. J., *Montreal and Quebec: A Pictorial and Historical Guide*, Toronto, Dent, 1955, IX-53p.

LACOSTE, N., *Les Caractéristiques sociales de la population du grand Montréal*, Montreal, Les Presses de l'Université de Montréal, 1958, 267p.

LAURIN, J. E., *Histoire économique de Montréal, et des cités et villes du Québec*, Montreal, Laurin, 1942, 287p.

LIMOGES, T., *La prostitution à Montréal*, Montreal, Éd. de l'Homme, 1967, 125p.

McCLEAN, E., *Le Passé vivant de Montréal*, Montreal, McGill University Press, 1964, 295p.

MIGUÉ, J.-L. (ed.), *Le Québec d'aujourd'hui: regards d'universitaires*, Montreal, HMH, 1971, 251p.

MINVILLE, E., *Notre milieu*, Montreal, Fides, 1946, 443p.

PATENAUDE, J., *Le vrai visage de Jean Drapeau*, Montreal, Éd du Jour, 1962, 126p.

PERCIVAL, W. P., *The Lure of Montreal*, Toronto, Ryerson Press, 1964, 204p.

LEDUC, P., *Promenade dans le Vieux Montréal*, Montreal, Office municipal du tourisme, 1969, 33p. [*Walking Tour of Old Montreal*, Montreal, Office municipal du tourisme, 1969.]

RAYNAULD, A., *Croissance et structure économiques de la province de Québec*, Quebec City, Ministère de l'Industrie et du Commerce, 1961, 657p.

REGNIER, M., *Montréal, Paris d'Amérique*, Montreal, Éd. du Jour, 1961, 160p.

ROBSON, W. A. (ed.), *Great Cities of the World: Their Government, Politics, and Planning*, London, George Allen and Unwin, 1954.

ROBERTS, L., *Montreal: From Mission Colony to World City*, Toronto, Macmillan, 1969, XIII-356p.

ROCHESTER, H., *Dining Out in Montreal*, Montreal, The Montreal Star, 1967. (New edition in 1971, 203p.) [*Les Restaurants de Montréal*, Montreal, The Montreal Star, 1971, 196p.]

ROQUEBRUNE, R. de, *Le Quartier Saint-Louis*, Montreal, Fides, 1966, 199p.

RUMILLY, R., *Histoire de Montréal*, Montreal, Fides, 1970. [Three volumes remain to be published.]

SIROIS, A., *Montréal dans le roman canadien*, Montreal, M. Didier, 1969, XVII-195p.

TATA, S. B., *Montreal*, Toronto, McClelland and Stewart, 1963, 96p.

TRÉPANIER, L., *Les rues du Vieux Montréal, au fil du temps*, Montreal, Fides, 1968, 187p.

21. NATIONALISM

Cent ans d'histoire (1867-1967), Revue d'Histoire de l'Amérique française, vol. XXI, No 3a.

Colloque sur le Canada français, Montreal, Montreal Star, 1963, 151p. [*Seminar on French Canada*, Montreal, Montreal Star, 1963, 140p.]

Le Canada, expérience ratée... ou réussie?/The Canadian Experiment, Success or Failure?, Quebec City, Les Presses de l'Université Laval, 1962, 180p.

"Le Canada français," *Esprit*, August-September 1952, 169p.

Le Canada au seuil du siècle de l'abondance, Montreal, HMH, 1969, 376p.

La dualité canadienne à l'heure des États-Unis, Quebec City, Les Presses de l'Université Laval, 1965, 132p.

Esquisses du Canada Français, Montreal, Fides, 1967, 450p. [*Facets of French Canada*, Montreal, Fides 1967, 450p.]

L'État du Québec, Saint-Hyacinthe, Éd. Alerte, 1962, 160p.

Le Fédéralisme, l'Acte de l'Amérique du Nord britannique et les Canadiens français, Montreal, Éd. de l'Agence Duvernay, 1964, 125p.

Lionel Groulx (1878-1967), L'Action nationale, June 1968, 284p.

"Le Nationalisme canadien-francais," *Revue d'histoire de l'Amérique française*, March, 1969, 90p.

"La province de Québec," *Revue française de l'élite européenne*, No 59, August 1954, VIII-74p.

Le Québec dans le Canada de demain, Montreal, Éd du Jour, 1967, 2 vol.

Quebec: Year Eight, Toronto, CBC Publications, 1968, VI-127p.

Rapport de la Commission royale d'enquête sur le bilinguisme et le biculturalisme, Ottawa, Imprimeur de la Reine, 1967-1969, [*Report of the Royal Commission on Bilingualism and Biculturalism*, Ottawa, Queen's Printer, 1965-1969, 4 vol.]

Rapport de la Commission royale d'enquête des relations entre le Dominion et les provinces, Ottawa, Imprimeur du Roi, 1940, 3 vol. [*Report of the Royal Commission on Dominion-Provincial Relations*, Ottawa, King's Printer, 1940, 3 vol.] [*The Rowell-Sirois Report: An Abridgement of Book I of the Royal Commission Report on Dominion-Provincial Relations*, edited and introduced by Donald V. Smiley Toronto, McClelland and Stewart, 1963, 228p.]

Rapport de la Commission royale d'enquête sur les problèmes constitutionnels, Quebec City, Imprimeur de la Reine, 1956, 4 vol. [Also entitled: Rapport Tremblay].

Reflexions sur la politique au Québec, Montreal, Éd. Sainte-Marie, 1968, 106p.

Report of the Royal Commission on National Development in the Arts, Letters and Sciences, 1949-1951, Ottawa, King's Printer, 1951, XXI-517p.

"Un Québec libre à inventer." *Maintenant*, September 1967.

ANGERS, F.-A., *Essai sur la centralisation*, Montreal, Beauchemin, 1960, 331p.

ANGERS, F.-A., *Pour orienter nos libertés*, Montreal, Fides, 1969, 280p.

ARÈS, R., *Dossier sur le pacte fédératif de 1867 – La Confédération: Pacte ou Loi?*, Montréal, Bellarmin, 1967, 294p.

ARÈS, R., *Nos grandes options politiques et constitutionnelles*, Montreal, Bellarmin, 1972, 243p.

AUBERT DE LA RUE, Ph., *Canada incertain: un pays à la recherche de son identité*, Paris, Éd. du Scorpion, 1964, 217p.

BARBEAU, R., *J'ai choisi l'indépendance*, Montreal, Éd. de l'Homme, 1962, 128p.

BARBEAU, R., *Le Québec est-il une colonie*? Montreal, Éd. de l'Homme, 1962, 160p.

BARRETTE, A., *Mémoires*, Montreal, Beauchemin, 1966, 448p.

BÉDARD, R.-J., *L'affaire du Labrador*, Montreal, Éd. du Jour, 1968, 116p.

BERGERON, L., *Petit manuel d'histoire du Québec*, Montreal, Éd. québécoises, 1970, 207p. [*The History of Quebec: A Patriot's Handbook*, Toronto, NC Press, 1971, 245p.]

BERGERON, G., *Du Duplessisme au Johnsonisme*, Montreal, Parti Pris, 1967, 400p.

BERGERON, G., *Le Canada français après deux siècles de patience*, Paris, Éd. du Seuil, 1967, 288p.

BERNARD, M., *Le Québec change de visage*, Paris, Plon, 1963, 217p.

BERQUE, J. (ed.), *Les Québécois*, Paris, Maspéro, 1967, 300p.

BLAIN, M., *Approximations*, Montreal, HMH, 1967, 246p.

BOUCHARD, T.-D.,`*Mémoires*, Montreal, Beauchemin, 1960, 3 vol.

BRICHANT, A. A., *Option Canada*, Montreal, Comité Canada, 1968, XVI-54p.

BRILLANT, J., *L'Impossible Québec*, Montreal, Éd. du Jour, 1968, 210p.

BRUNET, M., *Canadians et Canadiens*, Montreal, Fides, 1954, 113p.

BRUNET, M., *La présence anglaise et les Canadiens*, Montreal, Beauchemin, 1958, 292p.

BRUNET, M., *Québec-Canada anglais: deux itinéraires, un affrontement*, Montreal, HMH, 1968, 309p.

CHALOUT, R., *Mémoires politiques*, Montreal, Éd. du Jour, 1969, 295p.

CHAMBRE DE COMMERCE DE LA PROVINCE DE QUEBEC, *Le coût de l'indépendance. Une étude sur les conséquences économiques des options constitutionnelles*, Montreal, Éd. du Jour, 1969, 125p.

CHAPIN, M., *Quebec Now*, Toronto, Ryerson Press, 1955, 185p.

CHAPUT, M., *Pourquoi je suis séparatiste*, Montreal, Éd. du Jour, 1961, 156p. [CHAPUT, M., *Why I Am a Separatist*, Toronto, Ryerson Press, 1962, X-101p.]

CHAPUT-ROLLAND, S. & GRAHAM, G., *Chers ennemis*, Montreal, Éd. du Jour, 1963, 126p. [*Dear Enemies*, New York, Devin-Adair Co., 1965, XI-112p.]

CHAPUT-ROLLAND, S., *La seconde conquête*, Montreal, Le Cercle du Livre de France, 1970, 238p.

CHAPUT-ROLLAND, S., *Mon pays, Québec ou le Canada?*, Montreal, Le Cercle du Livre de France, 1967, 155p. [*My Country, Canada or Québec?*, Toronto, Macmillan, 1966, XI-122p.]

CHAPUT-ROLLAND, S., *Québec, année zéro*, Montreal, Le Cercle du Livre de France, 1968, 195p. [*Reflections: Quebec Year One*, Montreal, Chateau Books, 1968, 159p.]

CHAPUT-ROLLAND, S., *Une ou deux sociétés justes?*, Montreal, Le Cercle du Livre de France, 1969, 215p.

COHEN, R. I., *Le vote au Québec*, Montreal, Sage Publications Ltd., 1965, 128p. [*Québec Votes: The How and Why of Quebec in Every Federal Election since Confederation*, Montreal, Sage Publications Ltd., 1965, 128p.]

CONSEIL DE LA VIE FRANÇAISE EN AMÉRIQUE, *L'Avenir du peuple canadien-français*, Quebec City, Éd. Ferland, 1965, 62p.

CONSEIL DE LA VIE FRANÇAISE EN AMÉRIQUE, *Le bottin des sociétés patriotiques*, Quebec City, Éd. Ferland, 1963, 88p.

CONSEIL DE LA VIE FRANÇAISE EN AMÉRIQUE, *Un Québec français*, Quebec City, Éd. Ferland, 1969, 151p.

COOK, R., *Canada and the French-Canadian Question*, Toronto, Macmillan, 1966, 219p.

COOK, R. (ed.), *French-Canadian Nationalism*, Toronto, Macmillan, 1969, 336p.

COOK, R., *The Maple Leaf Forever*, Toronto, Macmillan, 1971, 253p.

COOK, R., SAYWELL, J. T. & RICHER, J. C., *Canada: A Modern Study*, Toronto, Clarke, Irwin & Co., 1963, 268p.

CORBETT, E. M., *Quebec Confronts Canada*, Baltimore, The Johns Hopkins Press, 1967, XI-336p.

COSTISELLA, J., *The Scandal of Canadian Racism: Quebec, A Ghetto for French Canadians*, Ottawa, Comité canadien-français de vigilance, 1963, 124p.

COTNAM, J., *Faut-il inventer un nouveau Canada?*, Montreal, Fides, 1967, 256p.

CRÊPEAU, P. A., & MACPHERSON, C. B. (eds.), *The Future of Canadian Federation/L'Avenir du fédéralisme canadien*, Toronto, University of Toronto Press, 1965, X-188p.

DAGENAIS, A., *Révolution au Québec*, Montreal, Éd. Renaud-Bray, 1966, 107p.

D'ALLEMAGNE, A., *Le colonialisme au Québec*, Montreal, Éd. Renaud-Bray, 1966, 107p.

DAWSON, R. M., *The Conscription Crisis of 1944*, Toronto, University of Toronto Press, 1961, 136p.

DESBARATS, P., *The State of Quebec*, Toronto, McClelland and Stewart, 1965, 188p.

DESBIENS, J.-P., *Les Insolences du frère Untel*, Montréal, Éd. de l'Homme 1960, 154p. [*The Impertinences of Brother Anonymous*, Montréal, Harvest House, 1962, 126p.]

DUMONT, F., *La Vigile du Québec*, Montreal, HMH, 1971, 234p.

DUMONT, F., MONTMINY, J. P. & HAMELIN, J. (eds.), *Idéologies au Canada français*, Quebec City, Les Presses de l'Université Laval, 1971, IX-327p.

ÉTATS GÉNÉRAUX DU CANADA FRANCAIS, *Assises nationales*, Montreal, Action nationale, 1969, 646p.

FALARDEAU, J.-C., *Roots and Values in Canadian Lives*, Toronto, University of Toronto Press, 1961, 62p.

FARIBAULT, M., *Unfinished Business; Some Thoughts on the Mounting Crisis in Quebec*, Toronto, McClelland and Stewart, 1967, 186p.

FÉDÉRATION LIBÉRALE DU QUÉBEC, *Pour une politique québécoise*, Montreal, Éd. du Jour, 1967, 211p.

FORTIN, G.-H., *Lettres d'un nationaliste*, Quebec City, Éd. du Phare, 1970, 119p.

GABOURY, J.-P., *Le Nationalisme de Lionel Groulx*, Ottawa, Éd. de l'Université d'Ottawa, 1970, 226p.

GARIGUE, Ph., *L'Option politique du Canada français*, Montreal, Éd. du Lévrier, 1963, 176p.

GENEST, J.-G., *Non au drapeau canadien*, Montreal, Éd. Actualité, 1962, 144p.

GORDON, W. L., *A Choice for Canada: Independance or Colonial Status*, Toronto, McClelland and Stewart, 1966, XX-125p.

GRAND, D. (ed.), *Quebec Today*, Toronto, University of Toronto Press, 1960, 105p. (First published as supplement to April 1958 issue of the *University of Toronto Quarterly*).

GRAND'MAISON, J., *Nationalisme et religion*, Montreal, Beauchemin, 1970, 2 vol.

GROULX, L., *Constantes de vie*, Montreal, Fides, 1967, 172p.

GROULX, L., *Chemins de l'avenir*, Montreal, Fides, 1964, 161p.

GROULX, L., *Directives*, Sainte-Hyacinthe, Éd. Alerte, 1959, 260p.

GROULX, L., *L'Indépendance du Canada*, Montreal, Action Nationale, 1949, 175p.

GROULX, L., *Histoire du Canada français*, Montreal, Fides, 1960, 2 vol.

GROULX, L., *Notre maître, le passé*, Montreal, Granger, 1924-1944, 3 vol.

GROULX, L., *Mémoires*, Montreal, Fides, 1970-1971. [2 volumes have been published so far.]

HAMELIN, J. & HAMELIN, M., *Les moeurs électorales dans la province de Québec*, Montreal, Éd. du Jour, 1962, 124p.

HAMELIN, J., HUOT, J. & HAMELIN, M., *Aperçu de la politique canadienne au XIXe siècle*, Quebec City, Culture, 1965, 154p.

HAMELIN, J., LETARTE, J. & HAMELIN, M., *Les élections dans la province de Québec*, Quebec City, Les Presses de l'Université Laval, 1960, 230p.

HARVEY, J.-C., *Pourquoi je suis anti-séparatiste*, Montreal, Éd. de l'Homme, 1962, 123p.

HEINA, J., *La vocation de la France et du Canada français*, Fribourg, Librairie Saint-Paul, 1956, 176p.

HERTEL, F., *Cent ans d'injustice*, Montreal, Éd. du Jour, 1967, 111p.

HICKMAN, H. (ed.), *Le Québec, tradition et évolution*, Toronto, W. J. Gage, 1967, 2 vol.

HUGUES, E. C. *French Canada in Transition*, Chicago, The University of Chicago Press, 1943, XV-227p.

JONES, R., *Community in Crisis: French Canadian Nationalism in Perspective*, Toronto, McClelland and Stewart, 1967, 192p.

JOHNSON, D., *Égalité ou indépendance*, Montreal, Éd. de l'Homme, 1968, 125p. [First edition in 1965, Éd. Renaissance.]

JUTRAS, R., *Québec libre*, Montreal, Éd. Actualité, 1966.

LAMONTAGNE, M., *Le fédéralisme canadien: évolution et problèmes*, Quebec City, Les Presses de l'Université Laval, 1954, 298p.

LAPIERRE, L., *French-Canadian Thinkers of the Nineteenth and Twentieth Centuries*, Montreal, McGill University Press, 1966.

LAURENDEAU, A., *Ces choses qui nous arrivent*, Montreal, HMH, 1970, XXI-343p.

LAURENDEAU, A., *La Crise de la conscription*, Montréal, Éd. du Jour, 1962, 157p.

LEFEBVRE, J.-P., *Reflexions d'un citoyen I. Sur l'avenir du Québec. II Sur quelques aspects de l'expérience suédoise*, Montreal, Éd. du Jour, 1968, 120p.

LEMIEUX, V., GILBERT, M. & BLAIS, A., *Une élection de réalignement: l'élection générale du 29 avril 1970 au Québec*, Montreal, Éd. du Jour, 1970, 182p.

LEMIEUX, V. (ed.), *Quatre élections provinciales au Québec, 1956-1966*, Quebec City, Les Presses de l'Université Laval, 1969, 246p.

LÉVESQUE, J., *Un peuple, oui, une peuplade, jamais!*, Montreal, Éd. de l'Homme, 1972, 191p.

LÉVESQUE, R., *Option Québec*, Montreal, Éd. de l'Homme, 1968, 175p. [*An Option for Quebec*, Toronto, McClelland and Stewart, 1968, 128p.]

LEVITT, J. (ed.), *Henri Bourassa on Imperialism and Biculturalism, 1900-1918*, Toronto, Copp, Clark Pub. Co., 1970, 183p.

MacRAE, C. F. (ed.), *French Canada Today*, Sackville, Mount Allison University Press, 1961, 115p.

MAHEUX, A., *Pourquoi sommes nous divisés?*, Montreal, Beauchemin, 1943, 217p.

McDOUGALL, R. L. (ed.), *Canada's Past and Present: A Dialogue*, Toronto, University of Toronto Press, 1965, XII-179p.

MEEKISON, J. P., *Canadian Federalism: Myth or Reality*, Toronto, Methuen, 1968, XV-432p.

MÉLÈSE, P., *Canada, deux peuples, une nation*, Paris, Hachette, 1959, 366p.

MIGUÉ, J.-L. (ed.), *Le Québec d'aujourd'hui: regards d'universitaires*, Montreal, HMH, 1971, 251p.

MINVILLE, E., *Le citoyen canadien-français*, Montreal, Fides, 1946, 2 vol.

MONET, J., *The Last Cannon Shot: A Study of French-Canadian Nationalism, 1837-1850*, Toronto, University of Toronto Press, 1967, 368p.

MORIN, W., *L'Indépendance du Québec*, Montreal, Alliance Laurentienne, 1960, 250p.

MORTON, W. L., *The Canadian Identity*, Toronto, University of Toronto Press, 1961, X-126p

MYERS, H. B., *The Quebec Revolution*, Montreal, Harvest House, 1964, XXI-109p.

NADEAU, J.-M., *Carnets politiques*, Montreal, Parti-Pris, 1966, 174p.

NADEAU, G. (ed.), *L'État du Québec*, Montreal, Éd. de l'Homme, 1965, 92p.

NEWMAN, P. C., *A Nation Divided: Canada and the Coming of Pierre Trudeau*, New York, A. A. Knopf, 1969, XV-469p.

NEWMAN, P. C., *Renegade in Power: The Diefenbaker Years*, Toronto, McClelland and Stewart, 1963, XVI-414p.

NISH, J. C., *Quebec in the Duplessis Era, 1935-1949: Dictatorship or Democracy*, Toronto, Copp Clark Pub. Co., 1960, 164p.

PARÉ, G., *Au-delà du séparatisme*, Montreal, Éd. du Jour, 1966, 132p.

PELLERIN, J., *Lettre aux nationalistes québécois*, Montreal, Éd. du Jour, 1969, 142p.

PELLERIN, J., *Le Canada, ou l'éternel commencement*, Paris, Casterman, 1967, 226p.

QUINN, H. F., *The Union nationale: A Study in Quebec Nationalism*, Toronto, University of Toronto Press, 1963, 249p.

RIOUX, M., *La question du Québec*, Paris, Seghers, 1969, 184p. [*Quebec in Question*, Toronto, James Lewis & Samuel, 1971, 191p.]

RIOUX, M. & MARTIN, Y. (eds.), *French Canadian Society*, Toronto, McClelland and Stewart, 1964, 405p.

RONAGHAN, A., *We Are One Nation*, New York, Greenwick Book Publishers, 1959, 121p.

ROSS, M. (ed.), *Our Sense of Identity*, Toronto, Ryerson Press, 1954, 346p.

ROUSSAN, J. de, *Les Canadians et nous*, Montreal, Éd. de l'Homme, 1964, 124p.

ROY, J.-L., *Les programmes électoraux du Québec, un siècle de programmes politiques québécois*, Montreal, Leméac, 1970, 2 vol.

RUMILLY, R., *L'Autonomie provinciale*, Montreal, Éd. de l'Arbre, 1948, 302p.

RUMILLY, R., *Le problème national des Canadiens français*, Montreal, Fides, 1961, 146p.

RUMILLY, R., *Histoire de la province de Québec*, Montreal, Fides, 1941-1969, 41 vol.

RUSSELL, P. (ed.), *Nationalism in Canada*, Toronto, McGraw-Hill, 1966, XX-377p.

SCHWARTZ, M. A., *Public Opinion and Canadian Identity*, Scarborough, Fitzhenry and Whiteside, 1967, XVII-263p.

SCOTT, F. & OLIVER, M., *Quebec States Her Case*, Toronto, Macmillan, 1964, 165p.

SÉGUIN, M., *L'Idée d'indépendance au Québec: genèse et historique*, Trois-Rivières, Éd. Le Boréal Express, 1968, 66p.

SIMARD, J., *Répertoire*, Montreal, Le Cercle du Livre de France, 1961, 319p.

SLOAN, T., *Quebec, The Not-So-Quiet Revolution*, Toronto, Ryerson Press, 1965, 133p.

SMILEY, D. V., *The Canadian Political Nationality*, Toronto, Methuen, 1967, XV-142p.

SMITH, B., *Les élections 1970 au Québec, Le coup d'état du 29 avril*, Montreal, Éd. Actualité, 1970, 115p.

TAINTURIER, J. (ed.), *De Gaulle au Québec*, Montreal, Éd. du Jour, 1967, 119p.

TOULAT, J., *Canada, terre promise*, Paris, Fayard, 1967,

TRUDEAU, P. E. *Approaches to Politics*, Toronto, Oxford University Press, 1970, 89p.

TRUDEAU, P. E. (ed.), *La Grève de l'amiante*, Montreal, Éd. du Jour, 1970, XVIII-430p. (new edition, published first in 1956.)

TRUDEAU, P. E., *Le Fédéralisme et la société canadienne-française*, Montreal, HMH, 1968, 230p. [*Federalism and the French Canadians*, Toronto, Macmillan, 1968, XXVI-212p.]

TRUDEAU, P. E., *Réponses de P. E. Trudeau*, Montreal, Éd. du Jour, 1968, 127p.

VADEBONCOEUR, P., *La ligne du risque*, Montreal, HMH, 1969, 286p.

WADE, M., (ed.), *Canadian Dualism/La dualité canadienne*, Toronto and Quebec City, University of Toronto Press and Les Presses de l'Université Laval, 1960, XXV-427p.

WADE, M. (ed.), *French Canadian Outlook*, New York, The Viking Press, 1946, 192p.

WADE, M., *The French Canadians*, Toronto, Macmillan, 1970, 2 vol. (new edition).

Periodicals:

Action nationale
Cité libre
Canadian Forum
Culture
Dimensions
Recherches sociographiques
Revue canadienne de science politique
Journal of Canadian Studies/Revue d'Études canadiennes
Liberté
Maintenant
Parti Pris
Relations
Socialisme

See also:

Biculturalism and Bilingualism
Culture
Duplessis, Maurice
Economy, Industry, and Agriculture
Education, Teaching, and School Systems
Federalism
French Canada and French Canadians
History
Literature

22. POLITICAL LIFE AND POLITICAL ISSUES IN QUEBEC

Bibliographies

BERGERON, G., *Problèmes politiques du Québec: répertoire bibliographique des commissions royales d'enquête présentant un intérêt spécial pour la politique de la province de Québec, 1940-1957*, Montreal, 1957, XIII-218p.

BOILY, R., *Québec 1940-1969: le système politique et son environnement*, Montreal, Les Presses de l'Université de Montréal, 1971, XVIII-208p.

Studies

Colloque sur le Canada français, Montreal, Montreal Star, 1963, 151p. [*Seminar on French Canada*, Montreal, Montreal Star. 1963, 140p.]

Des hommes qui bâtissent le Québec, Montreal, Éd. de l'Homme, 1970, 170p.

Le Bottin parlementaire du Québec, Quebec City, 1963, 531p.

"Le nationalisme canadien-français," *Revue d'Histoire de l'Amérique française*, March 1969, 90p.

Les Nouveaux Québécois, Quebec City, Les Presses de l'Université Laval, 1964, 204p.

"Québec," *Cité Libre*, vol. 17, No 2, November-December 1966, pp. 3-60.

Le Québec dans le Canada de demain, Montreal, Éd. du Jour, 1967, 2 vol.

Quebec Votes: The How and Why of Québec in Every Federal Election since Confederation, Montreal, Sage Publication Ltd., 1965, 128p.

Problèmes de planification, Montreal, Presses de l'École des hautes études commerciales, 1964, 301p.

Les électeurs québécois: attitudes et opinions à la veille de l'élection de 1960, Montreal, Groupe de recherches sociales, 1960, XI-225p.

Rapport de la Commission royale d'enquête sur l'enseignement dans la province de Québec, Quebec City, Imprimeur de la Reine, 1965, 5 vol.

Rapport de la Commission royale d'enquête sur les problèmes constitutionnels, Quebec City, Imprimeur de la Reine, 1956, 4 vol.

Table ronde du Québec, Montreal, Éd. Martinsart, 1969, 122p.

The Canadian Parliamentary Guide, Ottawa, 1968, 900p.

23 dossiers de Québec-Presse, Montreal, Réédition-Québec, 1971, 255p.

ARÈS, R., *Du rôle de l'État dans un Québec fort*, Montreal, Éd. Bellarmin, 1962, 16p.

ARÈS, R., *Faut-il garder au Québec l'école confessionnelle?*, Montreal, Éd. Bellarmin, 1970, 67p.

ARÈS, R., *Nos grandes options politiques et constitutionnelles*, Montreal, Éd. Bellarmin, 1972, 243p.

BÉDARD, R. J., *La bataille des annexions*, Montreal, Éd. du Jour, 1965, 224p.

BELLAVANCE, M. & GILBERT, M., *L'Opinion publique et la crise d'octobre*, Montreal, Éd. du Jour, 1971, 183p.

BERGERON, G., *Le Canada français, après deux siècles de patience*, Paris, Éd. du Seuil, 1967, 288p.

BERGERON, G., *Du Duplessisme au Johnsonisme*, Montreal, Parti Pris 1967, 400p.

BOILY, R., *La réforme électorale au Québec*, Montreal, Éd. du Jour, 1971, 181p.

BONENFANT, J.-Ch., *Les institutions politiques canadiennes*, Quebec City, Les Presses de l'Université Laval, 1954, 204p.

BOURASSA, G., "La connaissance politique de Montréal, bilan et perspectives," *Recherches sociographiques*, vol, 6, No 2, May-August, 1965, pp. 163-179.

BROCHU, M., *Le défi du Nouveau-Québec*, Montreal, Éd. du Jour, 1962, 156p.

BROSSARD, J., *L'Immigration: les droits et pouvoirs du Canada et du Québec*, Montreal, Les Presses de l'Université de Montréal, 1967, 208p.

BRUN, H., *La formation des institutions parlementaires québécoises, 1791-1838*, Quebec City, Les Presses de l'Université Laval, 1970, 281p.

CAOUETTE, R., *Réal Caouette vous parle*, Montreal, Éd. du Caroussel, [sic], 1962, 96p.

CAOUETTE, R., *Réal Caouette vous répond*, Montreal, Éd. Regards, 1971, XI-157p.

CHAPUT-ROLLAND, S., *Les heures sauvages*, Montreal, Le Cercle du Livre de France, 1972, 190p.

CONSEIL DE BIEN-ÊTRE DU QUÉBEC, *Les inégalités socio-économiques et la pauvreté au Québec*, Montreal, 1965, 284p.

CONSEIL DE LA VIE FRANÇAISE EN AMÉRIQUE, *La Crise de la natalité au Québec*, Quebec City, Éd., Ferland, 1968, 40p.

CONSEIL DE LA VIE FRANÇAISE EN AMÉRIQUE, *Le Bottin des sociétés patriotiques*, Quebec City, Éd. Ferland, 1963, 88p.

CONSEIL DE LA VIE FRANÇAISE EN AMÉRIQUE, *Nothing More, Nothing Less: A French-Canadian View of Bilingualism and Biculturalism*, Toronto, Holt, Rinehart and Winston, 1967, VII-79p.

COOK, R., *Canada and the French-Canadian Question*, Toronto, Macmillan, 1966, 219p.

COOK, R., SAYWELL, J. T. & RICHER, J. C., *Canada: A Modern Study*, Toronto, Clarke, Irwin, 1963, 268p.

DENMAN, N., *How to Organize an Election*, Montreal, Éd du Jour, 1962, 138p.

DESROSIERS, R., GROU, A. & HEROUX, D., *Le Travailleur québécois et le syndicalisme*, Montreal, Éd. Sainte-Marie, 1966, 120p.

DION, G. & O'NEILL, L., *Le Chrétien en démocratie*, Montreal, Éd. de l'Homme, 1961, 158p.

DION, G., *Le Chrétien et les élections*, Montreal, Éd. de l'Homme, 1960, 123p.

DION, L., *Le Bill 60 et le public*, Montreal, Institut canadien d'Éducation des adultes, 1966, 127p.

DION, L., *Le Bill 60 et la société québécoise*, Montreal, HMH, 1967, 197p.

DORION, H., *La Frontière Québec-Terre Neuve*, Quebec City, Les Presses de l'Université Laval, 1963, 316p.

DUGUAY, P., *Jalons pour la réforme électorale*, Nicolet, Éd. Homo Quebecensis, 1971, 178p.

DUMONT, R. & MONTMINY, J.-P. (eds.), *Le Pouvoir dans la société canadienne-française*, Quebec City, Les Presses de l'Université Laval, 1965, 252p.

FÉDÉRATION LIBÉRALE DU QUÉBEC, *Pour une politique québécoise*, Montreal, Éd. du Jour, 1967, 211 p.

GARIGUE, Ph., *L'Option politique du Canada français*, Montreal, Éd. du Levrier, 1963, 176p.

GÉLINAS, A., *Les parlementaires et l'administration au Québec*, Quebec City, Les Presses de l'Université Laval, 1969, XVIII-245p.

GENEST, J.-G., *Non au drapeau canadien*, Montreal, Éd. Actualité, 1962, 144p.

GORDON, W. L., *Troubled Canada: The Need for New Domestic Policies*, Toronto, McClelland and Stewart, 1961, X-134p.

GOW, J. I., *Administration publique québécoise*, Montreal, Beauchemin, 1970, X-281p.

GRAND, D. (ed.), *Quebec Today*, Toronto, University of Toronto Press, 1960, 105p. (First published as a supplement to the April 1958 issue of the *University of Toronto Quarterly*.)

GROULX, L., *Chemins de l'avenir*, Montreal, Fides, 1964, 161p.

GROULX, L., *Mes mémoires*, Montreal, Fides, 1970-1971. (Two volumes have been published to date.)

HAMELIN, J., HUOT, J. & HAMELIN, J., *Aperçu de la politique canadienne au XIX siècle*, Quebec City, Culture, 1965, 154p.

HAMELIN, J., LETARTE, J. & HAMELIN, M., *Les Elections dans la province de Québec*, Quebec City, Les Presses de l'Université Laval, 1960, 230p.

HAMELIN, J. & HAMELIN, M., *Les moeurs électorales dans le Québec*, Montreal, Ed. du Jour, 1962, 124p.

HOLDEN, R. B., *1970 Élection: Québec crucible*, Montreal, Ariès, 1970, 126p.

KATTAN, N., *L'Immigrant de langue française et son intégration au Québec, Écrits du Canada français*, No 25, pp. 173-247.

KOSTAKEFF, J., *Qu'est-ce que le Crédit social?*, Montreal, Éd. du Jour, 1962, 128p.

KRUHLAK, O. M. (ed.), *The Canadian Political Process*, Toronto, Holt, Rinehart and Winston, 1970, VII-523p.

LA FORTE, D. & BERNARD, A., *La législation électorale au Québec, 1790-1967*, Montreal, Éd. Sainte-Marie, 1969, 197p.

LAMONTAGNE, M., *Le Fédéralisme canadien: évolution et problèmes*, Quebec City, Les Presses de l'Université Laval, 1954, 298p.

LAPIERRE, L. (ed.), *Québec: Hier et aujourd'hui*, Toronto, Macmillan, 1967, 306p.

LAPOINTE, Y., *Essais sur la fonction publique québécoise*, Ottawa, Information Canada, 1971, VIII-338p.

LAROCQUE; A., *Défis au Parti québécois*, Montreal, Éd. du Jour, 1971, 135p.

LAROQUE, H., *Camillien Houde*, Montreal, Éd. de l'Homme, 1961, 157p.

LAURENDEAU, A., *Ces choses qui nous arrivent*, Montreal, HMH, 1970, XXI-343p.

LAZURE, J., *La jeunesse du Québec en révolution*, Quebec City, Les Presses de l'Université du Québec, 1970, 141p.

LEFEBVRE, J.-P., *Québec, mes amours*, Montreal, Beauchemin, 1968, 191p.

LEMIEUX, V., *Parenté et politique: l'organisation sociale dans l'Île d'Orléans*, Quebec City, Les Presses de l'Université Laval, 1971, VIII-250p.

LEMIEUX, V. (ed.), *Quatre élections provinciales au Québec, 1958-1966*, Quebec City, Les Presses de l'Université Laval, 1969, 246p.

LEMIEUX, V., GILBERT, M. & BLAIS, A., *Une élection de réalignement: L'élection générale du 29 avril 1970 au Québec*, Montreal, Éd. du Jour, 1970, 182p.

LESAGE, J., *Lesage s'engage: Libéralisme québécois d'aujourd'hui, jalon de doctrine*, Montreal, Éd. Politiques du Québec, 1959, 123p.

LESSARD, M.-A. & MONTMINY, J.-P., *L'Urbanisation de la société canadienne française*, Quebec City, Les Presses de l'Université Laval, 1968, 211p.

MAHEU, R., *Les francophones du Canada, 1941-1991*, Montreal, Parti Pris, 1970, 119p.

MASSEY, V., *Speaking of Canada*, Toronto, Macmillan, 1959, X-244p.

MIGUÉ, J.-L. (ed.), *Le Québec d'aujourd'hui: regards d'universitaires*, Montreal, HMH, 1971, 251p.

MINVILLE, E., *Le Citoyen canadien-français*, Montreal, Fides, 1946, 2 vol.

NEWMAN, P., *The Distemper of Our Times: Canadian Politics in Transition, 1963-1968*, Toronto, McClelland and Stewart, 1968, XIII-558p.

NEWMAN, P. C., *A Nation Divided: Canada and the Coming of Pierre Trudeau*, New York, A. A. Knopf, 1969, XV-469p.

ORBAN, E., *Le Conseil législatif de Québec, 1867-1967*, Bruges, Desclée de Brouwer, 1967, 354p.

PATENAUDE, J., *Le vrai visage de Jean Drapeau*, Montreal, Éd. du Jour, 1962, 126p.

PARTI QUÉBÉCOIS, *La souveraineté et l'économie*, Montreal, Éd. du Jour, 1970, 159p.

PARTI QUÉBÉCOIS, *Les Dossiers du 4ième congrès national du Parti québécois*, Montreal, Éd. du Parti québécois, 1972, 414p.

PARTI QUÉBÉCOIS, *La nouvelle carte électorale du Québec*, Montreal, Éd. du Parti québécois, 1972, 103p.

PARTI QUÉBÉCOIS, *Le Parti québécois en bref*, Montreal, Éd. du Parti québécois, 1971, 32p.

PARTI QUÉBÉCOIS, *Programme, action politique, statuts et règlements*, Montreal, Éd. du Parti québécois, 1971, 56p.

PATRY, A., BROSSARD, J. & WEISER, E., *Les pouvoirs extérieurs du Québec*, Montreal, Les Presses de l'Université de Montréal, 1967, 463p.

PELLERIN, J., *Le Canada ou l'Éternel commencement*, Paris, Casterman, 1967, 226p.

QUINN, H. F., *The Union Nationale; A Study in Quebec Nationalism*, Toronto, University of Toronto Press, 1963, 249p.

RAYNAULD, A., *Croissance et structure économique de la province de Québec*, Quebec City, Ministère de l'Industrie et du Commerce, 1961, 629p.

RIOUX, M., *La question du Québec*, Paris, Seghers, 1969, 184p. [*Quebec in Question*, Toronto, James Lewis & Samuel, 1971, 191p.]

ROBIN, M. (ed.), *Canadian Provincial Politics: The Party Systems of the Ten Provinces*, Scarborough, Prentice-Hall, 1972, 318p.

ROY, J.-L., *Les programmes électoraux du Québec: un siècle de programmes politiques québécois*, Montreal, Leméac, 1970, 2 vol.

RUMILLY, R., *L'Autonomie provinciale*, Montreal, Éd. de l'Arbre, 1948, 302p.

RUMILLY, R., *Quel Monde! Communisme! Socialisme! Séparatisme!*, Montreal, Éd. Actualité, 1965, 96p.

SAMSON, C., *Camil Samson et le défi créditiste*, Quebec City, Éd. du Griffon, 1970, 195p.

SAURIOL, P., *La nationalisation de l'électricité*, Montreal, Éd. de l'Homme, 1962, 120p.

SCARROW, H. A., *Canada Votes: A Handbook of Federal and Provincial Election Data*, New Orleans, Hauser Press, 1962, X-238p.

SÉVIGNY, P., *Le grand jeu de la politique*, Montreal, Éd. du Jour, 1965, 352p. [*This Game of Politics*, Toronto, McClelland & Stewart, 1965, XI-324p.]

SMITH, B., *Les élections de 1970 au Québec: Le coup d'état du 29 avril*, Montreal, Éd. Actualité, 1970, 115p.

SOCIÉTÉ ROYALE DU CANADA, *Aux sources du présent/The Roots of the Present*, Toronto, University of Toronto Press, 1960, X-111p.

THORBURN, H. G. (ed.), *Party Politics in Canada*, Scarborough, Prentice-Hall, 1967, 232p.

TRUDEAU, P. E., *Le Fédéralisme et la société canadienne-française*, Montreal, HMH, 1967, 230p. [*Federalism and the French Canadians*, Toronto, Macmillan, 1968, XXVI-212p.]

TURNER, J., *Politics of Purpose*, Toronto, McClelland and Stewart, 1968, XIX-216p.

UNDERHILL, F.-H., *In Search of Canadian Liberalism*, Toronto, Macmillan, 1960, 282p.

VAUGHAN, F., KYBA, P. & DWIVEDI, O. P. (eds.), *Contemporary Issues* in Canadian Politics, Scarborough, Prentice-Hall, 1970, IX-286p.

VEILLEUX, G., *Les relations intergouvernementales au Canada, 1867-1967: les mécanismes de coopération*, Montreal, Les Presses de l'Université du Québec, 1971, 142p.

WADE, M., *The French Canadians*, Toronto, Macmillan, 1970 (New edition), 2 vol.

WILLIAMS, J. R., *The Conservative Party of Canada, 1920-1949*, Durham, N. C., Duke University Press, 1956, X-242p.

Periodicals

Action nationale
Cité libre
Culture
Dimension
Journal of Canadian Studies/Revue d'études canadiennes
Liberté
Maclean's
Maintenant
Parti Pris
Point de mire
Relations

See also:

Biculturalism and Bilingualism
Culture
Demography
Duplessis, Maurice
Economy, Industry, and Agriculture
Education, Teaching, and School Systems
Federalism
French Language in Canada
History
Nationalism
Religion
Separatism
Society and Social Life in Quebec
Syndicalism

23. QUEBEC CITY

Bibliography:

VEZINA, G., *Québec métropolitain: répertoire bibliographique*, Quebec City, Centre de recherches en sciences sociales de l'Université Laval, 1968, 64p.

Studies:

French Canada in Pictures, New York, Sterling Pub. Co., 1961, 64p.

La Cité de Québec, son passé est glorieux et son avenir est brillant, Quebec City, G. Poitras, 1955, 51p.

Rapport de la Commission d'étude du système administratif de la cité de Québec, Quebec City, Imprimeur de la Reine, 1964, 120p.

BARBEAU, C. M., *J'ai vu Québec*, Quebec City, Garneau, 1957, unpaged. [*I Have Seen Quebec*, Toronto, Macmillan, 1957, unpaged.]

BROWN, C., *Québec, croissance d'une ville*, Quebec City, Les Presses de l'Université Laval, 1952, 75p.

CARLE, C. & PERRAULT, G., *Images du vieux Québec*, Quebec City, Éd. du Pélican, 1967.

HARVEY, J.-C. & COGNAC, M., *Visages du Québec*, Montreal, Le Cercle du Livre de France, 1965, 208p. [*The Many Faces of Quebec*, Toronto, Macmillan, 1966, 202p.]

HENRIPIN, J. & MARTIN, Y., *La population du Québec et de ses régions*, Quebec City, Les Presses de l'Université Laval, 1964, 85p.

KING, M. J., *Montreal and Quebec: A Pictorial and Historical Guide*, Toronto, Dent, 1955, IX-53p.

LAFORTUNE, F. & VIGNEAULT, G., *Où la lumière chante*, Quebec City, Les Presses de l'Université Laval, 1966.

LAURIN, J.-E., *Histoire économique de Montréal et des cités et villes du Québec*, Montreal, Laurin, 1942, 287p.

MARQUIS, G.-E., *Les monuments commémoratifs de Québec*, Quebec City, Garneau, 1958, 232p.

MIGUÉ, J.-L. (ed.), *Le Québec d'aujourd'hui: regards d'universitaires*, Montreal, HMH, 1971, 251p.

NGUYEN TRUNG VIET, *Québec et les Québécois*, Quebec City, Garneau, 1971.

VINCENT, R., *Québec, ville historique*, Montreal, Centre de Psychologie et de Pédagogie, 1966, 24p.

24. RELIGION

Bibliographies:

BRAULT, L., *Index des Mémoires de la société canadienne d'histoire de l'Église catholique, 1933-1958*, Ottawa, 1959, 248p.

FALARDEAU, J.-C., "Les recherches religieuses au Canada français," *Recherches sociographiques*, January-August 1962, pp. 209-228.

Studies:

Cent ans d'histoire (1867-1967), Revue d'Histoire de l'Amérique française, vol. XXI, no. 3a.

Colloque sur le Canada français, Montreal, Montreal Star, 1963, 151p. [*Seminar on French Canada*, Montreal, Montreal Star, 1963, 140p.]

Le Canada français aujourd'hui et demain, Paris, Fayard, 1961 197p.

Esquisses du Canada français, Montreal, Fides, 1967, 450p. [*Facets of French Canada*, Montreal, Fides, 1967, 450p.]

La religieuse dans la cité, Montreal, Fides, 1968, 319p.

"Le Canada français," *Esprit*, August-September 1952, 169p.

"Le Canada français entre le passé et l'avenir," *Chronique sociale de France*, September 15, 1957, pp. 401-504.

L'Université dit non aux Jésuites, Montreal, Éd. de l'Homme, 1961, 158p.

BIZIER, J., *L'éducation chrétienne et le rapport Parent*, Montreal, Fides, 1969, 229p.

BLAIN, M., *Approximations*, Montreal, HMH, 1967, 246p.

BURTON, K., *Brother André of Mount Royal*, Dublin, Clonmore and Reynolds, 1955, 197p. (published first in 1943)

CARRIER, H., *Évolution de l'Église au Canada français*, Montreal, Bellarmin, 1968, 78p.

CLARK, S. D., *Church and Sect in Canada*, Toronto, University of Toronto Press, 1948, XIII-458p.

CLEMENT, Y., *Histoire de l'Action catholique au Canada français*, Montreal, Fides, 1972, 331p.

COSTISELLA, J., *Le Scandale des écoles séparées en Ontario*, Montreal, Éd. de l'Homme, 1962, 124p.

DESBIENS, J.-P., *Les Insolences du frère Untel*, Montreal, Éd. de l'Homme, 1960, 154p. [*The Impertinences of Brother Anonymous*, Montreal, Harvest House, 1962, 126p.]

DESBIENS, J.-P., *Sous le soleil de la pitié*, Montreal, Éd. du Jour, 1965, 122p.

DION, G.; *Le chrétien et les élections*, Montreal, Éd de l'Homme, 1960, 123p.

DION, G. & O'NEIL, L., *Le Chrétien en démocratie*, Montreal, Éd. de l'Homme, 1961, 158p.

DUMONT, F. & MARTIN, Y. (eds.), *Situation de la recherche sur le Canada français*, Quebec City, Les Presses de l'Université Laval, 1962, 296p.

DUMONT, F. & MONTMINY, J.-P. (eds.), *Le Pouvoir dans la société canadienne-française*, Quebec City, Les Presses de l'Université Laval, 1965, 252p.

DUMONT, F., MONTMINY, J.-P. & HAMELIN, J. (eds.), *Idéologies au Canada français*, Quebec City, Les Presses de l'Université Laval, 1971, IX-327p.

FALARDEAU, J.-C., *Roots and Values in Canadian Lives*, Toronto, University of Toronto Press, 1961, 62p.

GAGNON, E., *L'Homme d'ici*, Montreal, HMH, 1963, 190p.

GRAND'MAISON, J., *Nationalisme et religion*, Montreal, Beauchemin, 1970, 2 vol.

GROULX, L., *Le Canada français missionnaire*, Montreal, Fides, 1962, 532p.

HAMELIN, L. E. & HAMELIN, C., *Quelques matériaux de sociologie religieuse canadienne*, Montreal, Éd. du Lévrier, 1956, 156p.

HARVEY, U. (ed.), *L'Église et le Québec*, Montreal, Éd. du Jour, 1961, 157p.

HAUGEN, E. I., *Bilingualism in the Americas: a Bibliography and Research Guide*, Tuscaloosa, University of Alabama Press, 1956, 159p.

HEINA, J., *La vocation de la France et du Canada français*, Fribourg, Librairie Saint-Paul, 1956, 176p.

HULLIGER, J., *L'Enseignement social des évêques canadiens de 1891 à 1950*, Montreal, Fides, 1958, 373p.

LABROSSE, G., *Ma religion est-elle en danger?*, Montreal, Éd. de l'Homme, 1962, 108p.

LAMONTAGNE, L. (ed.), *Le Canada français d'aujourd'hui*, Quebec City, Les Presses de l'Université Laval, 1970, VIII-161p.

LANCTOT, G., *Situation politique de l'Église canadienne*, Montreal, Ducharme, 1942, 26p.

LARIVIÈRE, J.-J., *Nos collégiens ont-ils encore la foi?*, Montreal, Fides, 1965, 211p.

LEMOYNE, J., *Convergences*, Montreal, HMH, 1962, 322p.

LUSSIER, I., *L'Éducation catholique et le Canada français/Roman Catholic Education and French Canada*, Toronto, Gage, 1960, 82p.

MACKAY, J., *Le Catholicisme: un carcan*, Montréal, Éd. M.L.F., 1967, 23p.

MICHAUD, P., *Mon p'tit frère*, Quebec City, Institut littéraire du Québec, 1960, 158p.

MILBORNE, A. J. B., *Freemasonry in the Province of Quebec, 1759-1959*, Quebec City [Grand Lodge of Quebec], 1960, 253p.

MOREUX, C., *Fin d'une religion?*, Montreal, Les Presses de l'Université de Montréal, 1969, XLI-485p.

PARENTEAU, H.-A., *Les Robes noires dans l'école*, Montreal, Éd. du Jour, 1962, 170p.

PORTER, F., *L'Institution cathéchistique au Canada*, Montreal, Éd. Franciscaines, 1949, 382p.

ROY, P.-E., *L'Engagement chrétien*, Montreal, Fides, 1961, 214p.

RYAN, W. F., *The Clergy and Economic Growth in Quebec (1896-1914)*, Quebec City, Les Presses de l'Université Laval, 1966, 348p.

SYLVESTRE, G. (ed.), *Structures sociales du Canada français*, Quebec City and Toronto, Les Presses de l'Université Laval and University of Toronto Press, 1966, 120p.

TRUDEAU, P.-E. (ed.), *La grève de l'amiante*, Montreal, Éd. du Jour, 1970, XVIII-430p. (First edition in 1956.)

VADEBONCOEUR, P., *La ligne du risque*, Montreal, HMH, 1969, 286p.

VOISINE, N., *Histoire de l'Église catholique au Québec (1608-1970)*, Montreal, Fides, 1971, 112p.

WENER, N. & BERNIER, J., *Croyants du Canada français*, vol. I, Montreal, Fides, 1971, 141p.

WENER, N. & CHAMPAGNE, J., *Croyants du Canada français*, vol II, Montreal, Fides, 1972, 303p.

Periodicals

Action nationale
Canadian Catholic Historical Association/Societé canadienne d'histoire de l'Église catholique
Canadian Historical Review
Culture
Maintenant
Recherches sociographiques
Relations

See also:

Culture
Education, Teaching, and School Systems
History
Nationalism

25. SCIENCES

L'Éducation dans un Québec en évolution, Quebec City, Les Presses de l'Université Laval, 1966, 245p.

Esquisses du Canada français, Montreal, Fides, 1967, 450p. [*Facets of French Canada*, Montreal, Fides, 1967, 450p.]

Royal Commission Studies: A Selection of Essays, Prepared for the Royal Commission on National Development in the Arts, Letters and Sciences, Ottawa, King's Printer, 1951, VII-430p.

Rapport de la Commission royale d'enquête sur l'enseignement dans la province de Québec, Quebec City, Imprimeur de la Reine, 1966, 5 vol. [*Report of the Royal Commission of Inquiry on Education in the Province of Quebec*, Quebec City, Queen's Printer, 1966, 5 vol.]

Rapport de la Commission royale d'enquête sur l'avancement des arts, lettres et sciences au Canada, 1949-1951, Ottawa, Imprimeur du Roi, 1951, XIX-596p. [*Report of the Royal Commission on National Development in the Arts, Letters and Sciences, 1949-1951*. Ottawa, King's Printer, 1951, XXI-517p.]

La Crise de l'Enseignement au Canada français, Montreal, Éd. du Jour, 1961, 123p.

Trois siècles de médecine québécoise, Quebec City, La société historique de Québec, 1970, 204p.

BAUDOUIN, L. (ed.), *La Recherche au Canada français*, Montreal, Les Presses de l'Université de Montréal, 1968, 164p.

BONENFANT, F. (ed.), *Cri d'alarme . . . La Civilisation scientifique et les Canadiens français*, Quebec City, Les Presses de l'Université Laval, 1963, 142p.

DANSEREAU, P., *Contradictions et biculture*, Montreal, Éd. du Jour, 1964, 116p.

DE NEVERS, E., *L'Avenir du peuple canadien-français*, Paris, H. Jouve, 1896, 441p. [Montreal, Fides, 1963, 334p.]

DOERN, G. B., *Science and Politics in Canada*, Montreal, McGill-Queen's University Press, 1972, XIV-238p.

DUMONT, F. & MARTIN, Y. (eds.), *Situation de la recherche sur le Canada français*, Quebec City, Les Presses de l'Université Laval, 1962, 296p.

GODFREY, W. E., *Encyclopédie des oiseaux du Québec*, Montreal, Éd. de l'Homme, 1972, 660p.

HARRIS, R. S. & TREMBLAY, A., *A Bibliography of Higher Education in Canada/Bibliographie de l'enseignement supérieur au Canada*, Toronto and Quebec City, University of Toronto Press and Les Presses de l'Université Laval, 1960, XXV-158p.

HARRIS, R. S. & TREMBLAY, A., *Supplément 1965 de bibliographie de l'enseignement supérieur au Canada/Supplement 1965 to a Bibliographie of Higher Education in Canada*, Quebec City and Toronto, Les

Presses de l'Université Laval and University of Toronto Press, 1965, XXXI-170p.

HUGUES, E. C. *French Canada in Transition*, Chicago, University of Chicago Press, 1943, XV-227p.

LAMONTAGNE, L. (ed.), *Le Canada français d'aujourd'hui*, Quebec City, Les Presses de l'Université Laval, 1970, VIII-161p.

OUELLET, C., *La vie des sciences au Canada français*, Quebec City, Ministère des affaires culturelles, 1964, 91p.

SOCIÉTÉ ROYALE DU CANADA, *Aux Sources du présent/The Roots of the Present*, Toronto, University of Toronto Press, 1960, X-111p.

THOMPSON, W. P., *Graduate Education in the Sciences in Canadian Universities*, Toronto, University of Toronto Press, 1963, XII-112p.

See also:

Culture
Education, Teaching, and School Systems

26. SEPARATISM*

Cent ans d'histoire (1867-1967), Revue d'Histoire de l'Amérique française, Vol. XXI, No 3a.

Colloque sur le Canada français, Montreal, Montreal Star, 1963, 151p. [*Seminar on French Canada*, Montreal, Montreal Star, 1963, 140p.]

Esquisses du Canada français, Montreal, Fides, 1967, 450p. [*Facets of French Canada*, Montreal, Fides, 1967, 450p.]

Le Canada au seuil du siècle de l'abondance, Montreal, HMH, 1969, 376p.

Le Canada, expérience ratée... ou réussie?/The Canadian Experiment, Success or Failure?, Quebec City, Les Presses de l'Université Laval, 1962, 180p.

"Le Canada français," *Esprit*, August-September 1952, 169p.

L'État du Québec, Saint-Hyacinthe, Éd. Alerte, 1962, 160p.

Le Fédéralisme, l'Acte de l'Amérique du Nord britannique et les Canadiens français, Montreal, Éd. de l'Agence Duvernay, 1964, 125p.

Le Lundi de la matraque, 24 juin 1968, Montreal, Parti Pris, 1968, 155p.

* Although it is true that nationalistic feeling in a person does not necessarily entail his adherence to separatist doctrine, it nevertheless seems equally clear that any such adherence must necessarily spring from a sense of nationalism. It is for this reason that most of the works on separatism in Quebec are listed in the section on **Nationalism**. We therefore give here only a brief list of titles. The reader may refer back to the earlier section if he so desires.

Le Québec dans le Canada de demain, Montreal, Éd. du Jour, 1967, 2 vol.

Quebec: The Threat of Separation, Toronto, McClelland and Stewart, 1969, VIII-147p.

Quebec: Year Eight, Toronto, CBC Publications 1968, VI-127p.

Rapport de la Commission royale d'enquête sur le bilinguisme et le biculturalisme, Ottawa, Imprimeur de la Reine, 1967-1969, 4 vol. [*Report of the Royal Commission on Bilingualism and Biculturalism*, Ottawa, Queen's Printer, 1965-1969, 4 vol.]

Rapport de la Commission royale d'enquête sur les problèmes constitutionnels, Quebec City, Imprimeur de la Reine, 1956, 4 vol.

Reflexions sur la politique au Québec, Montreal, Éd. Sainte-Marie, 1968, 106p.

Un Québec libre à inventer, Maintenant, September 1967.

ADAMS, H., *The Education of Canadians, 1800-1867: The Roots of Separatism*, Montreal, Harvest House, 1968, XIII-145p.

ANGERS, F.-A., *Essai sur la centralisation*, Montreal, Beauchemin, 1960, 331p.

ARÈS, R., *Nos grandes options politiques et constitutionnelles*, Montreal, Bellarmin, 1972, 243p.

AUBERT de la RUE, Ph., *Canada incertain: un pays à la recherche de son identité*, Paris, Éd. du Scorpion, 1964, 217p.

BARBEAU, R., *J'ai choisi l'indépendance*, Montreal, Éd. de l'Homme, 1962, 128p.

BARBEAU, R., *La libération économique du Québec*, Montreal, Éd. de l'Homme, 1963, 158p.

BARBEAU, R., *Le Québec est-il une colonie?*, Montreal, Éd. de l'Homme, 1962, 160p.

BELLAVANCE, M. & GILBERT, M., *L'Opinion publique et la crise d'octobre*, Montreal, Éd. du Jour, 1971, 183p.

BERGERON, G., *Du Duplessisme au Johnsonisme*, Montreal, Parti Pris, 1967, 400p.

BERGERON, G., *Le Canada français après deux siècles de patience*, Paris, Éd. du Seuil, 1967, 288p.

BERGERON, L., *Petit manuel d'histoire du Québec*, Montreal, Éd. québécoises, 1970, 207p. [*The History of Quebec: A Patriot's Handbook*, Toronto, NC Press, 1971, 245p.]

BERNARD, M., *Le Québec change de visage*, Paris, Plon, 1963, 217p.

BERQUE, J., (ed.), *Les Québécois*, Paris, Maspéro, 1967, 300p.

BRILLANT, J., *L'Impossible Québec*, Montreal, Éd. du Jour, 1968, 210p.

BRUNET, M., *Québec-Canada anglais: deux itinéraires, un affrontement*, Montreal, HMH, 1968, 309p.

CHAMBRE DE COMMERCE DE LA PROVINCE DE QUÉBEC, *Le coût de l'indépendance. Une étude sur les conséquences économiques des options constitutionnelles*, Montreal, Éd. du Jour, 1969, 125p.

CHAPUT, M., *J'ai choisi de me battre*, Montreal, Club du livre du Québec, 1965, 160p.

CHAPUT, M., *Pourquoi je suis séparatiste*, Montreal, Éd. du Jour, 1961, 156p. [*Why I Am a Separatist*, Toronto, Ryerson Press, 1962, X-101p.]

COMITÉ CANADA, *Le séparatisme? Non! 100 fois non!*, Montreal, Les Presses libres, 1970, 186p.

CONSEIL DE LA VIE FRANÇAISE EN AMÉRIQUE, *Un Québec français*, Quebec, Éd. Ferland, 1969, 151p.

COOK, R., *Canada and the French-Canadian Question*, Toronto, Macmillan, 1966, 219p.

COOK, R. (ed.), *French-Canadian Nationalism*, Toronto, Macmillan, 1969, 336p.

CORBETT, E. M., *Quebec Confronts Canada*, Baltimore, The Johns Hopkins Press, 1967, XI-336p.

COTNAM, J., *Faut-il inventer un nouveau Canada?*, Montreal, Fides, 1967, 256p.

DAGENAIS, A., *Révolution au Québec*, Montreal, Renaud-Bray, 1966, 107p.

D'ALLEMAGNE, A., *Le Colonialisme au Québec*, Montreal, Éd. Renaud-Bray, 1966, 107p.

DESBARATS, P., *The State of Quebec*, Toronto, McClelland and Stewart, 1964, 188p.

DUMONT, F., *La Vigile du Québec*, Montreal, Éd. Hurtubise, 1971, 234p.

ÉTATS GÉNÉRAUX DU CANADA FRANÇAIS, *Assises nationales*, Montreal, Action nationale, 1969, 646p.

FARIBAULT, M., *Unfinished Business: Some Thoughts on the Mounting Crisis in Quebec*, Toronto, McClelland and Stewart, 1967, 186p.

GARIGUE, Ph., *L'Option politique du Canada français*, Montreal, Éd. du Lévrier, 1963, 176p.

GROULX, L., *Chemins de l'avenir*, Montreal, Fides, 1964, 161p.

GUERTIN, P.-L., *Et de Gaulle vint*, Montreal, Langevin, 1970, 229p.

HARVEY, J.-C., *Pourquoi je suis anti-séparatiste*, Montreal, Éd. de l'Homme, 1962, 123p.

HERTEL, F., *Cent ans d'injustice*, Montreal, Éd. du Jour, 1967, 111p.

HOLDEN, R. B., *1970 Élection: Québec crucible*, Montreal, Ariès, 1970, 126p.

JONES, R., *Community in Crisis: French-Canadian Nationalism in Perspective*, Toronto, McClelland and Stewart, 1967, 192p.

JOHNSON, D., *Égalité ou indépendance*, Montreal, Éd. de l'Homme, 1968, 125p. [First published, 1965.]

JUTRAS, R., *Québec libre*, Montreal, Éd. Actualité, 1966.

LAROCQUE, A., *Défis au Parti québécois*, Montreal, Éd. du Jour, 1971, 135p.

LAURENDEAU, A., *Ces choses qui nous arrivent*, Montreal, HMH, 1970, XXI-343p.

LAZURE, J., *La jeunesse du Québec en révolution*, Quebec City, Les Presses de l'Université du Québec, 1970, 140p.

LEFEBVRE, J.-P., *Québec, mes amours*, Montreal, Beauchemin, 1968, 191p.

LEFEBVRE, J.-P., *Réflexions d'un citoyen I- Sur l'avenir du Québec II- Sur quelques aspects de l'expérience suédoise*, Montreal, Éd. du Jour, 1968, 120p.

LEMIEUX, V. (ed.), *Quatre élections provinciales au Québec, 1956-1966*, Quebec City, Les Presses de l'Université Laval, 1969, 246p.

LEMIEUX, V., GILBERT, M. & BLAIS, A., *Une élection de réalignement. L'élection générale du 29 avril 1970 au Québec*, Montreal, Éd. du Jour, 1970, 182p.

LÉVESQUE, R., *An Option for Quebec*, Toronto, McClelland and Stewart, 1968, 128p.

LÉVESQUE, R., *La solution*, Montreal, Éd. du Jour, 1970, 125p.

MICHAUD, Y., *Je conteste*, Montreal, Éd. du Jour, 1969, 181p.

MIGUÉ, J.-L. (ed.), *Le Québec d'aujourd'hui: regards d'universitaires*, Montreal, HMH, 1971, 251p.

MORIN, W., *L'Indépendance du Québec*, Montreal, Alliance laurentienne, 1960, 250p.

MYERS, H. B., *The Quebec Revolution*, Montreal, Harvest House, 1964, XXI-109p.

NADEAU, G. (ed.), *L'État du Québec*, Montreal, Éd. de l'Homme, 1965, 92p.

NADEAU, J.-M., *Carnets politiques*, Montreal, Parti Pris, 1966, 174p.

PARÉ, G., *Au-delà du séparatisme*, Montreal, Ed. du Jour, 1966, 132p.

PARTI QUÉBÉCOIS, *La souveraineté et l'économie*, Montreal, Éd. du Jour, 1970, 159p.

PARTI QUÉBÉCOIS, *Les Dossiers du 4ième congrès national du Parti québécois*, Montreal, Éd. du Parti québécois, 1972, 414p.

PARTI QUÉBÉCOIS, *Quand nous serons vraiment chez nous*, Montreal, Éd. du Parti québécois, 1972, 139p.

PELLERIN, J., *Lettre aux nationalistes québécois*, Montreal, Éd. du Jour, 1969, 142p.

RIOUX, M., *La question du Québec*, Paris, Seghers, 1969, 184p. [*Quebec in Question*, Toronto, James Lewis & Samuel, 1971, 191p.]

ROCHETTE, L., *Le rêve séparatiste*, Montreal, Presses libres, 1969, 99p.

ROUSSAN, J. de, *Les Canadians et nous*, Montreal, Éd. de l'Homme, 1964, 124p.

ROY, R., *Pour un drapeau indépendantiste*, Montreal, Éd. du Franc-Canada, 1965, 216p.

RUMILLY, R., *L'Autonomie provinciale*, Montreal, Éd. de l'Arbre, 1948, 302p.

RUMILLY, R., *Le problème national des Canadiens français*, Montreal, Fides, 1961, 146p.

RUMILLY, R., *Quel monde! Communisme! Socialisme! Séparatisme!*, Montreal, Éd. Actualité, 1965, 96p.

SAYWELL, J., *Quebec 70*, Toronto, University of Toronto Press, 1971, 152p.

SCOTT, F. & OLIVER, M., *Quebec States Her Case*, Toronto, Macmillan, 1964, 165p.

SÉGUIN, M., *L'Idée d'indépendance au Québec: genèse et historique*, Trois-Rivières, Éd. Le Boréal Express, 1968, 66p.

SLOAN, T., *Quebec, The Not-so-Quiet Revolution*, Toronto, Ryerson Press, 1965, 133p.

SMITH, B., *Les élections 1970 au Québec: Le coup d'état du 29 avril*, Montreal, Éd. Actualité, 1970, 115p.

SMITH, D., *Bleeding Hearts... Bleeding Country: Canada and the Quebec Crisis*, Edmonton, Hurtig, 1971, 177p.

TAINTURIER, J. (ed.), *De Gaulle au Québec*, Montreal, Éd. du Jour, 1967, 119p.

TREMBLAY, R., *Indépendance et marché commun Québec-É.U.*, Montreal, Éd. du Jour, 1970, 127p.

TRUDEAU, P. E., *Le Fédéralisme et la société canadienne-française*, Montréal, HMH, 1968, 230p. [*Federalism and the French Canadians*, Toronto, Macmillan, 1968, XXVI-212p.]

TRUDEAU, P. E., *Réponses de P. E. Trudeau*, Montreal, Éd. du Jour, 1968, 127p.

VADEBONCOEUR, P., *La dernière heure et la première*, Montreal, L'Hexagone, 1970, 78p.

VADEBONCOEUR, P., *La ligne du risque*, Montreal, HMH, 1969, 286p.

VALLIÈRES, P., *Nègres blancs d'Amérique*, Montreal, Parti Pris, 1968 and Paris, Maspéro, 1969, 290p. [*White Niggers of America*, Toronto, McClelland and Stewart, 1971, 281p.]

VAUGHAN, F., KYBA, P. & DWIVEDI O. P. (eds.), *Contemporary Issues in Canadian Politics*, Scarborough, Prentice-Hall, 1970, IX-286p.

Periodicals:

Action nationale
Canadian Forum
Cité Libre
Culture
Dimensions
Journal of Canadian Studies/Revue d'études canadiennes
Laurentie
Liberté
Maintenant
Parti Pris
Point de Mire
Recherches sociographiques
Relations
Révolution québécoise
Revue canadienne de science politique
Socialisme

See also:

Biculturalism and Bilingualism
Federalism
F.L.Q.
French Canada and French Canadians
French Language in Canada
History
Nationalism
Political Life and Political Issues in Quebec

27. SOCIETY AND SOCIAL LIFE IN QUEBEC

Bibliographies

BOILY, R., *Québec 1940-1969: le système politique et son environnement* Montreal, Les Presses de l'Université de Montréal, 1971, XVIII-208p.

BONENFANT, J.-Ch., "Matériaux pour une sociologie politique du Canada français," *Recherches sociographiques*, July-December 1961, pp. 485-567.

DESROCHERS, E., *Référence et bibliographie en sciences sociales*, Montreal, École de bibliothéconomie de l'Université de Montréal, 1967-1968, 4 sections.

PIGEON, M. & BERNIER, G., "Le Québec contemporain: éléments bibliographiques," *Canadian Journal of Political Science/Revue canadienne de science politique*, March 1968, pp. 107-118.

WILLIAMS, E. W., *Resources of Canadian University Libraries for Research in the Humanities and Social Sciences*, Ottawa, National Conference of Canadian Universities and Colleges, 1962, 87p.

Studies:

Esquisses du Canada français, Montreal, Fides, 1967, 450p. [*Facets of French Canada*, Montreal, Fides, 1967, 450p.]

La famille canadienne-française et la consommation/The French-Canadian Family as a Consumer Unit, Montreal, Éd. de la Table ronde, 1971, 79p. (bilingual text)

"Le Canada français," *Esprit*, August-September, 1952, 169p.

Le Canada français aujourd'hui et demain, Paris, Fayard, 1961, 197p.

"Le Canada français entre le passé et l'avenir," *Chronique sociale de France*, September 15, 1957, pp. 401-504.

Les électeurs québécois: attitudes et opinions à la veille de l'élection de 1960, Montréal, Groupe de recherches sociales, 1960, XI-225p.

"Les classes sociales au Canada français," *Recherches sociographiques* vol. 6, No 1, 1965, pp. 9-86.

Les Nouveaux québécois, Quebec City, Les Presses de l'Université Laval, 1964, 204p.

The Province of Quebec, Monaco, P. Borry Publications, 1964, 295p.

"La province de Québec," *Revue française de l'élite européenne*, No 59, August 1954, VIII-74p.

"Québec," *Cité libre*, vol, 17, No 2, November-December 1966, pp. 3-60.

Le Québec dans le Canada de demain, Montreal, Éd. du Jour, 1967, 2 vol.

La Situation des immigrants à Montréal: étude sur l'adaptation occupationnelle, les conditions résidentielles et les relations sociales, Montreal, Conseil des oeuvres de Montréal, 1959, VII-376p.

Thought, from the Learned Societies of Canada, Toronto, W. J. Gage, 1961, 250p.

BAUDOUIN, L. (ed.), *La Recherche au Canada français*, Montreal, Les Presses de l'Université de Montréal, 1968, 164p.

BEAUPRÉ, L., *La guerre à la pauvreté*, Montreal, Éd. du Jour, 1968, 117p.

BERGERON, G., *Le Canada français après deux siècles de patience*, Paris, Éd. du Seuil, 1967, 288p.

BLAIN, M., *Approximations*, Montreal, HMH, 1967, 246p.

BLANCHARD, R., *Le Canada français*, Montreal, Fayard, 1960, 314p.

BLISHEN, R. B., JONES, F. E., NAEGELE, K. D. & PORTER, J. (eds.), *Canadian Society: Sociological Perspective*, Toronto, Macmillan, 1965, XIII-541p.

CHAPIN, M., *Quebec Now*, Toronto, Ryerson Press, 1955, 185p.

CONSEIL DE BIEN-ÊTRE DU QUÉBEC, *Les inégalités socio-économiques et la pauvreté au Québec*, Montreal, 1965, 284p.

DEFFONTAINES, P., *L'Homme et l'hiver au Canada*, Paris, Gallimard, 1957.

DÉRY, E., *La famille canadienne-française*, Ottawa, Imprimerie St-Joseph, 1953, 66p.

DESBIENS, J.-P., *Les Insolences du frère Untel*, Montreal, Éd. de l'Homme, 1960, 154p. [*The Impertinences of Brother Anonymous*, Montreal, Harvest House, 1962, 126p.]

DESBIENS, J.-P., *Sous le soleil de la pitié*, Montreal, Éd. du Jour, 1965, 122p.

DUMONT, F. & MARTIN, Y. (eds.) *Situation de la recherche sur le Canada français*, Quebec City, Les Presses de l'Université Laval, 1962, 296p.

DUMONT, F. & MARTIN, Y., *L'analyse des structures sociales régionales*, Quebec City, Les Presses de l'Université Laval, 1963, 267p.

DUMONT, F. & MONTMINY, J.-P. (eds.), *Le pouvoir dans la société canadienne-française*, Quebec City, Les Presses de l'Université Laval, 1965, 252p.

DUMONT, R., MONTMINY, J. P. & HAMELIN, J. (eds.), *Idéologies au Canada français*, Quebec City, Les Presses de l'Université Laval, 1971, IX-327p.

ELKIN, F., *The Family in Canada*, Ottawa, Canadian Conference on the Family, 1964, 192p.

FALARDEAU, J.-C., *Roots and Values in Canadian Lives*, Toronto, University of Toronto Press, 1961, 62p.

FALARDEAU, J.-C. (ed.), *Essais sur le Québec contemporain*, Quebec City, Les Presses de l'Université Laval, 1953, 260p.

FALARDEAU, J.-C., *Orientation nouvelle des familles canadiennes-françaises*, Ottawa, Conseil canadien du bien-être social, 1949, 120p.

FALARDEAU, J.-C., *L'Essor des sciences sociales au Canada français*, Quebec City, Ministère des affaires culturelles, 1964, 68p.

FATTAH, E. A., GAUDREAU, T. & TREMBLAY, R., *L'Alcool chez les jeunes Québécois*, Quebec City, Les Presses de l'Université Laval, 1970, 102p.

FÉDÉRATION LIBÉRALE DU QUÉBEC, *Pour une politique québécoise*, Montréal, Éd. du Jour, 1967, 221p.

FILION, G., *La terre et la famille*, Montreal, Éd. de l'U.C.C., 1947, 112p.

FORTIN, G., *La fin d'un règne*, Montreal, HMH, 1971, 397p.

GARIGUE, Ph., *La vie familiale des Canadiens français*, Montreal and Paris, Les Presses de l'Université de Montréal and les Presses Universitaires de France, 1962, 142p.

GARIGUE, Ph., *Études sur le Canada français*, Montreal, Les Presses de l'Université de Montréal, 1958, 110p.

GAY, R., *Immigrant au Canada*, Paris, Nouvelles éditions Debresse, 1963, 190p.

GÉLINAS, A., *Les parlementaires et l'administration au Québec*, Quebec City, Les Presses de l'Université Laval, 1969, XVIII-245p.

GÉRIN, L., *Le type économique et social des Canadiens*, Montreal, Fides, 1948, 221p.

GIROUX, M., *La pyramide de Babel*, Montreal, Éd. Sainte-Marie, 1967, 138p.

HAMELIN, J., LETARTE, J. & HAMELIN, M., *Les élections dans la province de Québec*, Quebec City, Les Presses de l'Université Laval, 1960, 230p.

HAMELIN, J. & HAMELIN, M., *Les moeurs électorales dans le Québec*, Montreal, Éd. du Jour, 1962, 124p.

HARP, J. & HOFLEY, J. R. (eds.), *Poverty in Canada*, Scarborough, Prentice-Hall, 1971, VII-357p.

HAYOIS, G., *Le milieu rural*, Quebec City, Les Presses de l'Université Laval, 1952, 75p.

HENRIPIN, J. & MARTIN, Y., *La population du Québec et de ses régions*, Quebec City, Les Presses de l'Université Laval, 1964, 85p.

HICKMAN, H. (ed.), *Le Québec, tradition et évolution*, Toronto, Gage, 1967, 2 vol.

HUGUES, E. C., *French Canada in Transition*, Chicago, University of Chicago Press, 1943, XV-227p.

HULLIGER, J., *L'enseignement social des évêques canadiens de 1891 à 1950*, Montreal, Fides, 1958, 373p.

HURTUBISE, R. & ROWAT, D. C., *Studies on the University, Society and Government/Études sur l'université, la societé et le gouvernement*, Ottawa, University of Ottawa Press, 1970, 2 vol.

JAUVIN, P., *Sous-développement au Québec et dans le monde*, Montreal, Centre d'animation de culture ouvrière, 1971, 155p.

KATTAN, N. (ed.), *Juifs et Canadiens*, Montreal, Éd. du Jour, 1967, 132p.

KATTAN, N., *L'Immigrant de langue française et son intégration au Québec, Écrits du Canada français*, No. 25, pp. 173-247.

LACOSTE, N., *Les Caractéristiques sociales de la population du grand Montréal*, Montreal, Les Presses de l'Université de Montréal, 1958, 267p.

LAJOIE, A., *Les structures administratives régionales: Déconcentration au Québec*, Montreal, Les Presses de l'Université de Montréal, 1968, XV-332p.

LAMONTAGNE, L. (ed.), *Le Canada français d'aujourd'hui*, Quebec City, Les Presses de l'Université Laval, 1970, VIII-161p.

LAMONTAGNE, L. (ed.), *Visages de la civilisation au Canada français*, Quebec City, Les Presses de l'Université Laval, 1970, VIII-130p.

LAZURE, J., *La jeunesse du Québec en révolution*, Quebec City, Les Presses de l'Université du Québec, 1970, 140p.

LÉGER, P., *La Canadienne française et l'amour*, Montreal, Éd. du Jour, 1965, 125p.

LEMELIN, C., *Le Canada et le tiers-monde*, Ottawa, Éd. de l'Université d'Ottawa, 1963, 81p.

LEMIEUX, G., *Vu et vécu: la vie familiale des jeunes ruraux*, Montreal, Éd. du Sol, 1955, 38p.

LEMIEUX, V., *Parenté et politique: l'organisation sociale dans l'Île d'Orléans*, Quebec City, Les Presses de l'Université Laval, 1971, VIII-250p.

LEMOYNE, J., *Convergences*, Montreal, HMH, 1961, 324p.

LESSARD, M.-A. & MONTMINY, J.-P., L'Urbanisation de la société canadienne-française, Quebec City, Les Presses de l'Université Laval, 1968, 211p.

LIMOGES, T., *La prostitution à Montréal*, Montreal, Éd. de l'Homme, 1967, 125p.

Mac RAE, C. E., (ed.), *French Canada Today*, Sackville, Mount Allison University Press, 1961, 115p.

MARCEAU, C. & SAVARD, R., *L'Écrivain canadien face à la réalité*, Montreal, Éd. Nocturne, 1962, 62p.

MICHAUD, P., *Mon p'tit frère*, Quebec City, Institut littéraire du Québec, 1960, 158p.

MIGUÉ, J.-L. (ed.), *Le Québec d'aujourd'hui: regards d'universitaires*, Montreal, HMH, 1971, 251p.

MILBORNE, A. J. B., *Freemasonry in the Province of Quebec, 1759-1959*, Quebec City [Grand Lodge of Quebec], 1960, 253p.

MINER, H., *St-Denis: A French Canadian Parish*, Chicago, University of Chicago Press, 1939, 300p.

MINVILLE, E., *Le Citoyen canadien-français*, Montreal, Fides, 1946, 2 vol.

MORIN, R., *L'Immigration au Canada*, Montreal, L'Action nationale, 1966, 118p.

OLIVER, M. K. (ed.), *Social Purpose for Canada*, Toronto, University of Toronto Press, 1961, XII-472p.

PAVAN, P., *Le syndicat dans la société/Trade Unions in Society*, Quebec City, Département des relations industrielles, Université Laval, 1955, 52p.

PORTER, J., *The Vertical Mosaic*, Toronto, University of Toronto Press, 1965, XXII-626p.

POULIN, G., *Problèmes de la famille canadienne-française*, Quebec City, Les Presses de l'Université Laval, 1952, 72p.

RIDDELL, W. A., *The Rise of Ecclesiastical Control in Quebec*, New York, AMS Press, 1968, 197p.

RIOUX, M. & MARTIN, Y. (eds.), *French Canadian Society*, Toronto, McClelland and Stewart, 1964, 405p.

ROBY, Y., *Alphonse Desjardins et les Caisses populaires, 1854-1920*, Montreal, Fides, 1964, XXVI-149p.

RUMILLY, R., *Quel Monde! Communisme! Socialisme! Séparatisme!*, Montreal, Éd. Actualité, 1965, 96p.

SAINT-MARTIN, F., *La femme et la société cléricale*, Montreal, Éd. M. L. F., 1967, 16p.

SIEGFRIED, A., *The Race Question in Canada*, Toronto, McClelland and Stewart, 1966, 252p. [Published in French, in 1906.]

SIMARD, J., *Répertoire*, Montreal, Le Cercle du Livre de France, 1961, 319p.

SIMARD, J., *Nouveau répertoire*, Montreal, HMH, 1965, 419p.

SYLVESTRE, G., (ed.), *Structures sociales du Canada français*, Quebec City and Toronto, Les Presses de l'Université Laval and University of Toronto Press, 1966, 120p.

TREMBLAY, M. & FORTIN, G., *Les comportements économiques de la famille salariée du Québec: une étude des conditions de vie, des besoins et des aspirations*, Quebec City, Les Presses de l'Université Laval, 1964, 405p.

VACHON, A., *Histoire du notariat canadien, 1621-1960*, Quebec City, Les Presses de l'Université Laval, 1962, XXVIII-209p.

VIAU, P., *Les Municipalités du Québec*, Montreal, Éd. de la Place, 1968, 171p.

WADE, M (ed.), *Canadian Dualism/La dualité canadienne*, Toronto and Quebec City, University of Toronto Press and Les Presses de l'Université Laval, 1960, XXV-427p.

WADE, M., *The French Canadians*, Toronto, Macmillan, 1970 (Revised edition), 2 vol.

Periodicals:

L'Actualité économique
Canadian Journal of Economics and Political Science/Revue d'économique et de science politique
Cité Libre
Culture
Journal of Canadian Studies/Revue d'études canadiennes
Liberté
Maintenant
Parti Pris

Recherches et Débats
Recherches sociographiques
Relations
Socialisme

See also:

Culture
Demography
Economy, Industry and Agriculture
Education, Teaching, and School Systems
French Canada and French Canadians
French Language in Canada
History
Journalism, Newspapers, and Mass Media
Nationalism
Political Life and Political Issues in Quebec
Religion
Syndicalism

28. SYNDICALISM

Bibliography:

TREMBLAY, L.-M., *Bibliographie des relations du travail au Canada (1940-1967)*, Montreal, Les Presses de l'Université de Montréal, 1969, 243p.

Studies:

En grève! L'histoire de la C.S.N., Montreal, Éd. du Jour, 1963, 280p.

"Le Canada français entre le passé et l'avenir," *Chronique sociale de France*, September 15, 1957, pp. 401-504.

Le public et l'information en relations du travail, Quebec City, Les Presses de l'Université Laval, 1969, 226p.

Le Québec dans le Canada de demain, Montreal, Éd. du Jour, 1967, 2 vol.

Les Salariés au pouvoir!, Montreal, Presses libres, 1970, 138p.

Le travail féminin, Quebec City, Les Presses de l'Université Laval, 1967, 177p.

Le travailleur québécois et le syndicalisme, Montreal, Éd. Sainte-Marie, 1966, 120p.

Les tribunaux du travail, Quebec City, Les Presses de l'Université Laval, 1961, 162p.

Le Syndicalisme canadien, une réévaluation, Quebec City, Les Presses de l'Université Laval, 1968, 293p.

Plus fort qu'un Québécois... un million de Québécois!, Montreal, CSN, 1971, 78p.

Politique et programmes de main-d'oeuvre au Canada, Paris, 1966, 154p.

Pouvoir et pouvoirs en relations du travail, Quebec City, Les Presses de l'Université Laval, 1970, 184p.

BAUDOUIN, L. (ed.), *La Recherche au Canada français*, Montreal, Les Presses de l'Université de Montréal, 1968, 164p.

BEAUDET, A., *Plaidoyer pour la grève et contestation*, Montreal, Presses libres, 1970, 126p.

BEAUDIN, D., *L'U.C.C. d'aujourd'hui*, Montreal, Éd. de l'U.C.C., 1952, 160p.

BERGERON, L., *Petit manuel d'histoire du Québec*, Montreal, Éd. québécoises, 1970, 207p. [*The History of Quebec: A Patriot's Handbook*, Toronto, NC Press, 1971, 245p.]

BERNARD, P., *Structures et pouvoirs de la Fédération des travailleurs du Québec*, Ottawa, Imprimeur de la Reine, 1969, XI-367p.

DANSEREAU, P., *Syndicaliste, qui es-tu?*, Montreal, published by the author, 1961, 87p.

DESROSIERS, R., GROU, A. & HEROUX, D., *Le Travailleur québécois et le syndicalisme*, Montreal, Éd. Sainte-Marie, 1966, 120p.

DIONNE, P., *Une analyse historique de la Corporation des enseignants du Québec (1836-1968)*, Quebec City, Faculté des sciences sociales de l'Université Laval, 1969, VII-259p.

DOFNY, J. & BERNARD, P., *Le Syndicalisme au Québec: Structure et mouvement*, Ottawa, Imprimeur de la Reine, 1968, VIII-117p.

DUMONT, F. & MONTMINY, J.-P. (eds.), *Le pouvoir dans la société canadienne-française*, Quebec City, Les Presses de l'Université Laval, 1965, 252p.

ÉTATS GÉNÉRAUX DU CANADA FRANÇAIS, *Assises nationales*, Montreal, Action nationale, 1969, 646p.

FALARDEAU, J.-C., *L'Essor des sciences sociales au Canada français*, Quebec City, Ministère des affaires culturelles, 1964, 68p.

FÉDÉRATION LIBÉRALE DU QUÉBEC, *Pour une politique québécoise*, Montreal, Éd. du Jour, 1967, 211p.

FRONT D'ACTION POLITIQUE, *Les salariés au pouvoir!*, Montreal, Presses libres, 1970, 138p.

GAGNON, R., *Droit du travail en vigueur au Québec*, Quebec City, Les Presses de l'Université Laval, 1971, III-650p.

GRAND, D. (ed.), *Quebec Today*, Toronto, University of Toronto Press, 1960, 105p. (First published as a supplement to the April 1958 issue of the *University of Toronto Quarterly*.)

HAMELIN, J., LAROCQUE, P. & ROUILLARD, J., *Répertoire des grèves dans la province de Québec au XIXe siècle*, Montreal, École des hautes études commerciales, 1971, 168p.

HARDY, L.-L., *Brève histoire du syndicalisme au Canada*, Montreal, L'Hexagone, 1958, 152p.

HOROWITZ, G., *Canadian Labour in Politics*, Toronto, University of Toronto Press, 1968, 273p.

HUGHES, E. C., *French Canada in Transition*, Chicago, University of Chicago Press, 1943, XV-227p.

KRUGER, A. M., *The Canadian Labour Market*, Toronto, University of Toronto Press, 1968, XIX-312p.

LIPTON, C., *The Trade Union Movement of Canada, 1827-1959*, Montreal, Canadian Social Publications, 1966, XIII-366p.

LOGAN, H. A., *Trade Unions in Canada: Their Development and Functioning*, Toronto, Macmillan, 1948, XVII-639p.

LORANGER, J.-G., *L'égalité des salaires dans l'industrie de la construction au Québec*, Montreal, CSN, 1970, 108p.

NISH, J. C., *Quebec in the Duplessis Era, 1935-1959: Dictatorship or Democracy?*, Toronto, Copp Clark, 1970, 164p.

PAVAN, P., *Le syndicat dans la société/Trade unions in society*, Quebec City, Département des relations industrielles, Université Laval, 1955, 52p.

PEITCHINIS, S. G., *The Economics of Labour: Employment and Wages in Canada*, Toronto, McGraw-Hill, 1965, XI-412p.

RIOUX, M. & MARTIN, Y. (ed.), *French Canadian Society*, Toronto, McClelland and Stewart, 1964, 405p.

TREMBLAY, M. & FORTIN G., *Les comportements économiques de la famille salariée du Québec; une étude des conditions de vie, des besoins et des aspirations*, Quebec City, Les Presses de l'Université Laval, 1964, 405p.

TRUDEAU, P.-E. (ed.), *La grève de l'amiante*, Montreal, Éd. du Jour, 1970, (new edition) XVIII-430p. (First published in 1956.)

VADEBONCOEUR, P., *La ligne du risque*, Montreal, HMH, 1969, 286p.

Periodicals:

Canadian Labour
Parti Pris
Relations industrielles
Revue du barreau

See also:

Economy, Industry, and Agriculture
French Canada and French Canadians
History
Nationalism
Political Life and Political Issues in Quebec
Religion
Society and Social Life in Quebec